Galdós y la literatura popular

ALICIA GRACIELA ANDREU

GALDOS Y LA LITERATURA POPULAR

Colección TEMAS

SOCIEDAD GENERAL ESPAÑOLA DE LIBRERIA, S. A.
MADRID

Primera edición, 1982

Avda. Valdelaparra, s/n. Alcobendas. Madrid.

Produce: S.G.E.L. - Educación

ISBN: 84-7143-231-5
Depósito legal: M-5819-1982
PRINTED IN SPAIN
IMPRESO EN ESPAÑA

Composición texto: RUAM, S. A.
Imprime: LITOFINTER, S. A.
Encuaderna: Sucesores de Felipe Méndez

A mi madre.

Dios formó a la mujer para ser ángel de la Guarda de los míseros mortales: Sean nuestra abnegación y nuestra virtud el crisol de sus errores; sea nuestra virginal pureza el espejo en el cual miren retratada su negra culpa; y humillados al ver su inferioridad, tal vez abjuren sus flaquezas, tal vez comprendan cuán sublime es nuestra misión en este mundo y nos tributen el debido culto.

Angela Grassi: «Quien sólo flores posee, sólo da flores», *Correo de la Moda*, (Madrid, 18 de febrero de 1872), año XXII, n.º 7, p. 51.

INDICE

Págs.

PROLOGO

En la literatura española de consumo, publicada en la prensa madrileña entre los años 1840 a 1880, se destaca la imagen de una mujer obediente y sumisa. Reflejo de la «perfecta casada» de Fray Luis de León y de la figura bíblica de la Virgen María, se caracteriza este personaje por vivir una vida basada en las virtudes cristianas del sufrimiento y del amor. Un estudio cuidadoso de esta imagen, sin embargo, revela que las virtudes que acompañan a esta dulce protagonista están íntimamente vinculadas a los intereses de clase mantenidos por segmentos «tradicionalistas» de la burguesía. Aprovechando la popularidad alcanzada por la literatura de consumo, se utiliza la imagen de la Mujer Virtuosa para reorientar al lector hacia patrones «tradicionales» de conducta basados en la obediencia y en la sumisión ante el poder socio-económico vigente.

Benito Pérez Galdós, familiarizado con la literatura de consumo, utiliza la literatura como uno de los modelos de donde obtiene fuentes importantes para la creación de algunos de sus personajes femeninos. Isidora Rufete, Amparo y Refugio Sánchez Emperador y Rosalía Pipaón sólo pueden ser comprendidas en todo su fondo psicológico, físico y emocional, teniendo como fondo el modelo de la Mujer Virtuosa y la ideología moral que la acompaña. El presente libro tiene un doble propósito. Por un lado, se analiza la ideología prevalente en las obras de consumo publicadas especialmente en la prensa madrileña entre los años 1840 a 1880. Teniendo este análisis como base, se establecen relaciones entre las primeras Novelas Contemporáneas de Benito Pérez Galdós y la ideología de la literatura de consumo. Ambas facetas de este estudio nos llevan a conclusiones nuevas sobre el acto creador en las novelas de Galdós.

Alicia Graciela Andreu
Middlebury College
Middlebury, Vermont
Verano de 1980

I

Introducción:

BOSQUEJO DE LA REALIDAD HISTORICA

1. La «inmoralidad» de España

Críticos de la literatura española del siglo XIX que se han aproximado a estudiar las obras publicadas entre los años de 1840 a 1880 están de acuerdo en que la literatura escrita y publicada en España a partir de los cuarenta es, con poquísimas excepciones, una literatura orientada especialmente al consumo[1]. Es en esta época cuando la literatura se hace más asequible al público lector, debido en gran parte, a un mayor nivel de sofisticación adquirido en la prensa en general y a una mayor iniciativa por parte de los editores y propietarios de empresas interesados en los resultados económicos de este tipo de publicaciones. No sorprende, por tanto, que una gran parte de la literatura escrita en esta época se imprimiera en aquellos medios que contaban con una mayor distribución: los muchos periódicos y revistas que colmaron el mercado de lectura en aquel período.

La literatura de consumo, y con ella la imagen de la Mujer Virtuosa, coincide con una nueva estructura de la sociedad española lograda con la primera desamortización de los bienes eclesiásticos llevada a cabo por Mendizábal en 1836. La nueva estructura social produjo la subida de una clase burguesa incipiente, aunque ávida de poder. Esta, conjuntamente con la vieja casta dominante, serán las que mantendrán la rienda del poder y las que impondrán la ideología dominante durante casi todo el siglo.

[1] Por literatura de consumo se entiende aquella literatura que, por ser publicada principalmente en los periódicos y revistas, alcanzaba un cuantioso número de lectores. Se publicaban las obras literarias en los folletines o en las secciones fijas de los periódicos y revistas destinadas específicamente para ese fin.

La burguesía española del siglo XIX se diferencia de otras burguesías europeas en varios aspectos. Para empezar, los orígenes ideológicos de la burguesía española provienen de una estructura agraria marcada por la mentalidad feudal que predominó entre las viejas clases dirigentes del Antiguo Régimen. La nueva estructura no rompe con la cultura y los modos de pensamiento de las viejas castas, pero no los continúa tampoco. Con la llegada de la burguesía al poder se han transformado los modelos aristocráticos a modelos burgueses, a través de los modos de producción capitalista de la burguesía.

El segundo factor que determina gran parte del carácter ideológico de la burguesía española radica en la situación colonizable en que se encontraba España frente a las potencias europeas, principalmente Francia. El desarrollo económico de España en el siglo XIX responde, en gran parte, a las inversiones francesas, inglesas y belgas, bajo el amparo de las teorías librecambistas de la época. Al convertirse España en una potencia de segundo orden, colonizable, adopta aspectos ideológicos de los países colonizadores, especialmente aquellos de la burguesía francesa a la que tanto desea parecerse.

Un tercer factor que determina el carácter ideológico de la burguesía radica en su deseo de mantenerse en el poder a cualquier precio. Comprenden, y con mucha razón, que la nueva estructura ha traído consigo problemas que, de no ser confrontados a tiempo, podrían poner en peligro su posición. Comprenden también la necesidad y la urgencia de obstaculizar cualquier esfuerzo de fuera que pudiera poner en peligro sus propios intereses de clase. Buscan, por tanto, maneras de establecer medios de control contra todo aquello que pudiera ser concebido como una amenaza a su poder.

Como era de esperar, la solución a los problemas que confrontaban al poder burgués no podía limitarse a una sola. La burguesía decimonónica es una burguesía dividida en dos partidos, o facciones, ideológicas. Por un lado se encuentran los «liberales». Por liberales se entiende a aquellos burgueses que buscaban en las ideas europeas las soluciones a los problemas de España. La otra facción ideológica estaba representada por los «tradicionalistas». Eran éstos aquellos burgueses que buscaban la solución a los problemas nacionales en el regreso de los valores tradicionales que, según ellos, se habían perdido con la llegada de las ideas liberales a España. La «vuelta-a-los-valores-de-antaño» tiene, sin embargo, una base clasista. La ideología de los tradicionalistas es portadora de aquellos valores de las viejas clases dominantes, valores que más, y mejor, le convenían a la burguesía. Especialmente útil encuentran el concepto de «privilegio» de casta en el cual se basa gran parte del esquema de la Mujer Virtuosa.

La literatura de consumo es la portadora de la ideología de los tradicionalistas. El análisis de una gran cantidad de obras publicadas en Madrid, durante el período de los cuarenta años señalados, demuestra el deseo de segmentos conservadores de la burguesía de utilizar las publicaciones de consumo para proyectar un programa de regeneración moral de España basado en los intereses de este grupo. A través de la literatura, se lanzan los escritores en una campaña de regeneración de España basada en la vuelta a las virtudes cristianas y a los valores castizos españoles.

Interesantes resultan los argumentos clericales utilizados por los escritores de este tipo de obras para emprender su programa regenerador. Especialmente útil encuentran el ataque que la Iglesia dirige al «materialismo» de la época después de la pérdida de sus bienes en 1836 y en 1854. Recuérdese de que la Iglesia reaccionó de manera violenta ante las dos desamortizaciones de sus bienes clericales, llevadas a cabo por gobiernos liberales en ambos períodos: la primera por Mendizábal y la segunda por Madoz. Señala la Iglesia el materialismo como el factor corruptor del gobierno y de la sociedad en general. Según la crítica clerical, el materialismo infiltrado en tierra nacional era responsable de que el gobierno asumiera una postura de contienda frente a la Iglesia. En un ensayo escrito en 1843 en la *Revista Católica* se le acusa al gobierno de ser «desatentados reformadores» y «sedientos vampiros» cuya «carrera de maldición y de ruina» tiene como único fin el que sus palacios rebosaran en el lujo y la opulencia[2].

Al materialismo de la época se le considera el enemigo abierto de la Iglesia, compuesto de «máximas impías y heterodoxas» que

---

2 «Reseña histórica. España», *Revista Católica*, año VII, t. II (enero, 1843), p. 46.

nadan prueban más que la «inmundicia del corazón»[3]. También se lee en la prensa católica que el materialismo es responsable de la afición desproporcionada al lujo y a la ostentación que empieza a surgir por todos lados. Señalan los diferentes escritores que la demasiada afición a las comodidades y a los goces materiales estaba empezando a afectar todos los niveles de la vida española, incluyendo la relación del hombre con su familia y la relación del hombre con el hombre. En una carta de Pío IX, publicada en *La Iglesia*, en 1869, condena la Iglesia el estado de decadencia en que se encuentra la familia como resultado del lujo: «Se sacrifica al lujo la educación de los hijos; por él se abandona el cuidado de los intereses domésticos; no hay ya orden en la casa, está trastornada»[4]. En otra reseña de la prensa católica, el autor indica que el materialismo es responsable de que la sociedad esté empezando a experimentar una vida sin religión. La consecuencia de esto, vaticina el escritor, será el crimen, la destrucción y la muerte.

> ¿Qué sería de la sociedad sin lazos poderosos,
> sin el freno eficaz [de la religión]?...
> Hágasela desaparecer y los males todos a
> torrentes brotarán sobre el cuerpo social.
> Persuadido el hombre de que sólo leyes humanas
> son las que la ligan, él tratará de eludirlas:
> en la oscuridad de la noche...
> a espaldas de la misma ley se perpetrará
> el crimen con tranquilidad.
> Digámoslo de una vez:
> se verán rotos todos los lazos:
> el engaño, la destrucción y la muerte[5].

Se dirige al gobierno, llamándolo «seres inhumanos» y lo acusa de querer «hacer desaparecer la religión de nuestra adorada y desventurada patria». De acuerdo con el mismo ensayo, si esto sucediera, «Los grillos, las cárceles, el patíbulo serían los que gobernarían a los hombres»[4].

---

[3] *El amigo de la Religión Cristiano-Católica y de la Sociedad* (1873), pp. 12-13.

[4] Anón.: «Carta de Pío IX sobre el lujo de las mujeres», *La Iglesia*, año I, n.º 1 (10 de enero de 1869), p. 6.

[5] Anón.: *El amigo de la Religión Cristiano-Católica y de la Sociedad*, p. 12.

La burguesía tradicionalista se apodera del argumento «antimaterialista» de la Iglesia para establecer medios de control de sus propios problemas. Utiliza, igual que la Iglesia, el concepto de que los males sociales son el resultado de un materialismo nefasto que ha penetrado hasta en los más recónditos lugares de la sociedad española. Según los escritores, portadores de la ideología de la burguesía tradicionalista, el materialismo es responsable de que el hombre español se dedique a la investigación de conceptos dañinos a la virtud de los españoles, como eran el liberalismo y el positivismo. Es también responsable de la sensualidad y la afición por el lujo que empezaban a dominar. Finalmente, es responsable de que en las instituciones tradicionalmente sagradas, como el matrimonio y la familia, se sintiera un cierto ambiente maleado como consecuencia de los gustos materialistas que comenzaban a afectarlas. La familia, y especialmente la mujer, estaban empezando a echarse a perder como resultado del lujo y de la sensualidad que empezaba a dominar.

En agosto de 1866, en el mismo periódico donde Francisco Giner publicara su artículo, «Nuevos progresos de nuestra cultura intelectual» (II, n.º 21, 1869), J. Jimeno Agius publica un ensayo titulado, «La moralidad en España». Empieza el ensayo con un censo señalando los números de nacimientos ilegítimos registrados anualmente en España, desde 1858 a 1864:

Años	Hijos ilegítimos
1858	30,040
1859	31,131
1860	32,222
1861	34,125
1862	33,416
1863	32,997
1864	34,458

Añade el autor que en cada uno de los siete años asignados había 17 hijos legítimos en España por cada ilegítimo. En Madrid había tres hijos legítimos por uno ilegítimo[6].

El interés de este artículo va más allá de las sumas señaladas por el señor Agius. Las conclusiones a las que llega el escritor en el análisis de su censo reflejan las verdaderas razones que conducen a escritores como el señor Agius a embarcarse en una campaña rehabilitadora de la moral española. Según el autor, la razón del incremento de los hijos ilegítimos hay que buscarla en la condición de inmoralidad en que se encuentra la sociedad española y, concretamente, la mujer. El estado «enfermizo» de España radica en la nueva afición de la mujer por el lujo. Los incentivos del lujo han alejado a la mujer de sus papeles tradicionales en el hogar, como esposa y como madre de familia. La mujer, impulsada por el lujo, busca, fuera del recinto del hogar, medios que le faciliten la vida lujosa que tanto anhela. Como resultado de esta aberración en la mujer, la sociedad tiene que lidiar con el enfadoso y molesto incremento del número de hijos ilegítimos.

Una lectura cuidadosa de los muchos ensayos, cuentos y novelas que proyectan preocupaciones semejantes a las del señor Agius revela que bajo la llamada «falta de moralidad» española se esconde el deseo de la burguesía de aquietar cualquier sentimiento «materialista» que pudiera estarse desarrollando fuera del ámbito de su propia clase. Por «materialismo» y «afición al lujo» se entiende las voces del proletariado que se dejaban empezar a sentir, pidiendo una distribución más igualitaria de la riqueza nacional. El ataque al «materialismo» por parte de la burguesía reaccionaria manifiesta el deseo de esta clase de detener, o por lo menos intimidar —a través de los valores proyectados en los medios «populares» literarios— a un segmento de la población cada vez mejor organizado y cada vez más concientizado: el proletariado español. Vale recordar que es a partir de los años 40 cuando empiezan a surgir organizaciones y huelgas obreras. En 1842 toma lugar una insurrección importante en Barcelona. En junio de 1855 se organiza una huelga que tendrá gran-

[6] J. Jimeno Agius: «La moralidad en España», *El Museo Universal*, X, n.º 31 (5 de agosto de 1866), pp. 242-243.

des repercusiones para el movimiento obrero, también en Barcelona. En 1869 este movimiento se une a la Internacional. En 1886 se crea el primer periódico socialista y en 1888 aparece el primer periódico de la UGT. Ejemplos de la dialéctica de izquierdas que atemorizaban a los burgueses tradicionalistas se encuentran en la prensa anarquista y en la prensa socialista de fines de siglo. Aunque ambas publicaciones aparecen en fecha más tardía de la que cubre este estudio, reflejan, no obstante, ecos de la ideología del proletariado que surge con los años 40. En un artículo titulado «La explotación de la mujer y del niño», publicado en *El Socialista* se lee en el primer párrafo,

> Como la clase burguesa tiene por único y exclusivo ideal obtener la mercancía trabajo (sic) lo más barata posible, a fin de lograr que los beneficios que se embolsa sean cada vez mayores, no se ha dado por satisfecha con explotar solamente al hombre que no tiene más propiedad que sus brazos, sino que también, y auxiliada por la división del trabajo y el empleo de las máquinas, ha hecho que la mujer y el niño no escapen a la esclavitud del salario[7].

En *La Revista Blanca*, publicación anarquista, se escribe un artículo sobre lo que debe ser el trabajo de las mujeres. Empieza el artículo condenando el trabajo impuesto a las mujeres por la sociedad burguesa. A este trabajo se le considera arbitrario e inhumano. Pide el escritor que el sistema que promueve este tipo de ocupación para la mujer sea cambiado por uno más humanitario, menos despiadado.

> Para que el trabajo de la mujer sea lo que debe ser, es menester que acabe la explotación del hombre por el hombre, que termine el predominio de la clase burguesa, que el cuarto estado se emancipe completamente para no tener necesidad de que su compañera salga del estado en que la naturaleza la colocó para ganarse un mendrugo de pan...[8].

[7] Anón.: «La explotación de la mujer y del niño», *El Socialista*, año III, n.º 117 (1 de junio de 1888), p. 2.

[8] Anón.: «Tribuna del obrero: lo que debe ser el trabajo de las mujeres y de los niños», *La Revista Blanca*, año III, n.º 49 (1 de julio de 1900), p. 31.

El momento ha llegado, aseguran los escritores tradicionalistas, de embarcar a España en el proceso de su propia regeneración moral. Necesario consideran el apartarla de aquellas fuentes materialistas que empezaban a corromperla. Imitando otra vez los preceptos establecidos por la Iglesia señalan a la imagen de una mujer como el medio apropiado para la redención del pueblo español: la Mujer Virtuosa. De origen religioso, pero firmemente anclada en los intereses de la sociedad burguesa, simboliza esta imagen las ideas «anti-materialistas» con las que los burgueses tradicionalistas quieren poner freno a los cambios, inevitables, en la estructura socio-económica de España. El amor, la obediencia y la resignación que caracterizan a las protagonistas virtuosas de la literatura de consumo representan precisamente el amor, la obediencia y la resignación al status-quo vigente. La más mínima señal de desobediencia y de falta de resignación frente a las estructuras sociales y económicas por parte del personaje lo saca de su posición privilegiada de protagonista virtuosa y la convierte en una antagonista. Las consecuencias en la vida del personaje, como antagonista, son desastrosas para esta mujer: la fealdad, enfermedades incurables, el abandono de sus seres queridos y finalmente, la muerte.

Tomando estas ideas en cuenta, resulta interesante la presencia, en las obras de consumo, de un número reducido de Mujeres Virtuosas pobres. La característica principal de estos personajes es la actitud de resignación con que aceptan su estado de pobreza. La resignación, y la felicidad que surge como consecuencia de una vida resignada, se manifiestan en frases como, «No trocaría mi felicidad por una corona»[9].

No sólo idealiza la literatura burguesa a la Mujer Virtuosa pobre, presentándola como un modelo de perfección a la cual es menester imitar en todo lo posible, sino que la dotan también de cualidades extraordinarias. La presentan como un ser superior, completo, sumergido en las dichas más intensas como resultado de una vida de indigencia. Aún el amor, señalan los escritores, es más puro, más total, en la pobreza. Es en la pobreza donde dos seres, desarraigados de toda ambición materialista, pueden con-

---

[9] ENRIQUE PÉREZ ESCRICH: *La mujer adúltera* (Madrid: Librería de Miguel Guijarro, editor, 1895), tomo II, p. 357.

frontarse el uno con el otro, libremente, para amarse de la misma manera. Severo Catalina escribe en 1858, «Dichosos los pobres, cuyos amores y cuyos enlaces proceden siempre de los impulsos del corazón», y compara estos amores a aquellos puros y sencillos que, «sólo se pueden encontrar entre los pájaros y la naturaleza»[10]. «La pobreza no deshonra a nadie», leemos en una novela de Ayguals de Izco[11]. «La fe es la mejor palanca que puede coger el pobre para sostener el peso de su infortunio», leemos en una novela de Pérez Escrich[12]. Emilia, doncella virtuosa cuyas actividades giran alrededor de la costura para poder mantener a su padre enfermo, exclama: «La ambición enoja a Dios. Los pobres debemos contentarnos con nuestra suerte»[13]. El narrador omnisciente en esta última obra afirma la postura clasista del autor cuando escribe,

> Sobre la tierra existe un desnivel social tal vez irremediable, y al infeliz que le toca luchar con la desgracia, si no quiere vivir eternamente desesperado, debe ante todo aprender a ser pobre[14].

Condenan los escritores a aquellos pobres «vanidosos» que demuestran deseos de superar su condición en la vida. El pobre «digno» es aquel personaje indigente que acepta, con orgullo y dignidad, la condición miserable de su vida. Antonio Flores alaba la pobreza virtuosa y la considera la «verdadera, única miseria»[15].

La Mujer Virtuosa no es el único componente en el programa regenerador en que se quería embarcar a España. Para que las virtudes establecidas por la protagonista lograran el efecto re-

---

[10] SEVERO CATALINA: *La mujer en las diversas relaciones de la familia y la sociedad.* Apuntes para un libro (Madrid: Imprenta de Luis García, 1858), p. 176.

[11] WENCESLAO AYGUALS DE IZCO: *María la hija del jornalero* (Madrid: Imprenta de don Wenceslao Ayguals de Izco, 1849), tomo I, p. 268.

[12] ENRIQUE PÉREZ ESCRICH: *La mujer adúltera* (Madrid: Librería de Miguel Guijarro, 1895), tomo I, p. 727.

[13] *Ibid.*, tomo II, p. 357.

[14] *Ibid.*, tomo I, p. 726.

[15] ANTONIO FLORES: *Fe, esperanza y caridad* (Madrid: Imprenta de los señores Martínez y Minuesa, 1851), Tomo I, p. 101.

querido, se necesitaba de un «agente» que las aplicara a la vida real. El «agente» lo encuentran en el consumidor de la literatura popular. A este lector lo llaman, «querido lector», o «querido amigo». A veces el tono se hace más íntimo con, «querido mío» o «lectores míos». Es a la «mujer lectora», sin embargo, a quienes van dirigidas la gran mayoría de las apelaciones. En una obra publicada en la prestigiosa *Revista de España* anuncia el escritor su predilección por un público femenino: «Mi auditorio predilecto es la mujer, y a cautivar su atención es a lo único que aspiro»[16]. Se dirigen a esta mujer con frases como, «mi pequeña amiga» o «vosotras, queridas niñas»[17] y se le pide que se aproxime, «Ven, amiga mía, ven a hablar un rato conmigo...»[18]. Es al público lector al que se dirigen los escritores con el deseo de que lleven a la práctica las reglas de conducta y de pensamiento establecidas por la Mujer Virtuosa.

Teniendo esto en mente, resultan interesantes los argumentos que se encuentran en la obra de consumo para convencer especialmente a la mujer lectora de la necesidad de llevar a cabo su misión regeneradora de España. Se menciona, por ejemplo, que dada la capacidad de la mujer para el comando de las actividades familiares, es ella la única preparada para ser la fiel transmisora de los nuevos valores españoles. Su capacidad para el amor la señala también como la indicada por Dios y la naturaleza, para enmendar al pueblo español.

Para que la mujer pueda llevar a cabo el «sacerdocio de su vida» necesita, no obstante, empezar con su propia regeneración. Una vez que la mujer haya adquirido una toma de conciencia tanto de su propio estado de corrupción como de lo imperativo de su rehabilitación, podrá ella orientar hacia «el otro» su misión regeneradora. Según los moralistas, la mujer necesitaba comprender que su propia inmoralidad —su afición al lujo y su sensualidad— era responsable no sólo de los cambios en ella misma, sino

[16] PEREGRÍN GARCÍA CADENA: «El arte casero», *Revista de España*, V, n.º 102 (1872), p. 265.

[17] LAURA: «Sensibles y sensibleras», *La Guirnalda*, XVII, n.º 1 (5 de enero de 1883), p. 6.

[18] JOSÉ MARÍA YEVES: «La careta», *La Guirnalda*, II, n.º 28 (17 de febrero de 1868), p. 25.

también de los cambios que estaban tomando lugar en la sociedad en pleno.

El tercer componente en el proceso regenerador iniciado con la Mujer Virtuosa es el hombre español. Con el fin de llevar a cabo su enmienda moral, se recrean las virtudes y las amonestaciones morales y didácticas de la literatura de consumo. No resulta, por tanto, nada extraño encontrar en revistas y periódicos orientados a un público masculino —como eran *El Imparcial*, *El Museo Universal*, la *Revista de España*, entre otros— novelas, cuentos y ensayos semejantes a aquellos publicados en la prensa dirigido al «bello sexo». En *El Imparcial*, por ejemplo, se encuentra un ensayo por la prolífica escritora María del Pilar Sinués de Marco titulado, «Modas». En él, la autora hace un llamado a sus lectoras para que establezcan en sus vidas un balance armónico entre la belleza (física) y la virtud. Escribe la Sinués, «[si] el alma tiene sus coqueterías en la virtud, ¿por qué las personas no han de tener algunas? Por ser buena una mujer no debe dejar de ser agradable»[19]. Se encuentran también muchas amonestaciones dirigidas directamente al hombre lector en las cuales se le señala la presencia y el propósito de la virtud en la mujer. Se le alienta a que preste atención a la virtud en la mujer y a que admire y respete a la mujer poseedora de este atributo. Los autores se dirigen al lector indicándole el tipo de actitud que el hombre debe adoptar en su relación con una mujer virtuosa. Finalmente, le aseguran que una vida buena al lado de una mujer virtuosa le traerá felicidad y paz eterna. Un par de casos servirán de ejemplo a este gran ímpetu moralizador orientado al hombre. En el *Semanario Popular* escribe Juan J. Medina:

> Dios puso en el mundo para bien del hombre un templo, lo más sobrenatural por su hermosura, lo más admirable por ser un completo resumen de la creación. Este maravilloso conjunto, este suntuosísimo monumento, este grandioso templo, es la mujer. Su santuario es el corazón. En él se encierra radiante de bien, pura y esplendorosa

---

[19] MARÍA DEL PILAR SINUÉS DE MARCO: «Modas», *El Imparcial* (Madrid: 15 de marzo de 1870), año IV, n.º 1006.

> una sagradísima imagen, la virtud... ¡Oh, mil veces feliz el que lo descubre! ¡Sin este elixir celestial se alienta, pero no se vive![20].

Medina condena la actitud del hombre que se niega a ver la virtud en la mujer:

> Desdichado mortal, que no abrigas en el recóndito santuario la preciosísima imagen, o no le tributas un acendrado culto: que percibes las brisas del Edén: a tí para quien son las aromáticas emanaciones de las flores divinas; a tí que en interminable estrofa escuchada con deleite desde los cielos, cantas la verdadera poesía, a tí que amas entusiasmado te saludo con toda la efusión de mi cariño. ¡Ama siempre y alcanzarás eterna ventura![21].

Antonio Flores relata en su novela, *Fe, esperanza y caridad*, el caso de un mal hombre conocido con el nombre de «El Vizco». Enamorado de dos mujeres virtuosas, Adelaida y Eugenia, se rinde ante la virtud de ambas. Su vida se convierte, desde ese momento, en un modelo ejemplar de virtud. Feliz con el cambio moral, exclama: «Lección sublime la de rehabilitarse en la sociedad por el influjo del amor y del respeto ejercido por dos mujeres!»[22].

La Mujer Virtuosa de la literatura de consumo le brinda al lector las pautas que conseguirán su salvación: amor por un lado y resignación por el otro. Una vez conseguido este objetivo, y sólo entonces, se podría empezar a pensar en una España en vías de recuperación de la «dolencia moral» que tanto la aquejaba.

---

[20] JUAN J. MEDINA: «El amor», *Semanario Popular* (Madrid: 22 de diciembre de 1864), año III, n.º 43, p. 341.

[21] *Ibid.*

[22] ANTONIO FLORES: *Fe, esperanza y caridad*, p. 392.

LA GUIRNALDA

PERIÓDICO QUINCENAL DEDICADO AL BELLO SEXO
EDUCACION Y LABORES — MODAS — DIBUJOS PARA BORDAR
FIGURINES — PATRONES — MÚSICA — BORDADOS

AÑO XVII. — 5 DE ENERO DE 1883. — NÚM. 1.°

Cada número consta de *ocho páginas en folio*, de amena é instructiva lectura, ilustradas con excelentes grabados, y *de la cubierta*, que contiene advertencias útiles y cuantas explicaciones y anuncios sean de interés para las familias, colegios de señoritas y escuelas de niñas. Este texto es comun á las ediciones de labores y de modas.

En la EDICION DE LABORES, *reparte* ademas en cada número un *gran pliego cuajado* de alfabetos, cifras, medallones y modelos de todas clases de labores; y como extraordinario, alternando convenientemente, *dibujos* para crochet, malla, encaje inglés, y algunos *en colores* para bordar en cañamazo, con sedas, etc., piezas de música y figurines de modas.

En la EDICION DE MODAS, *reparte mensualmente* figurines iluminados con sus patrones cortados ó dibujados, y alternando convenientemente, figurines especiales, pliegos de labores ó piezas de música.

En la EDICION DE DIBUJOS, abecedarios y modelos de labores de todas clases.—Se repartirán cada mes dos pliegos estampados por las dos caras.

ABECEDARIOS Y DIBUJOS PICADOS. Esta publicacion es la única que facilita éstos á sus abonadas y la que puede proporcionar á las señoras maestras de niñas colecciones completas de dibujos para la enseñanza de los bordados.

Dibujos. Se hacen por encargo toda clase de trabajos y se proporcionan, á recoger en la Administracion, no sólo muestras de los puntos bordados, sino tambien las confecciones que se pidan, á precios convencionales. No se hará ningun encargo sin haber recibido su importe.

LA GUIRNALDA obsequia ademas á sus suscritoras con varios regalos y primas de importancia que deben verse en el prospecto.

MODO DE HACER LAS SUSCRICIONES Ó ENCARGOS QUE HAN DE ABONARSE SIEMPRE POR ADELANTADO.

En Madrid, acudiendo á sus oficinas, advirtiéndose que no se admite suscricion por un mes, una vez publicado algun número correspondiente al mismo, y que todas las suscriciones han de empezar en 1.° de mes.

En provincias, dirigiéndose al *Administrador del periódico*, y remitiendo el importe en letras de fácil cobro, ó en sellos de correos. Tambien pueden hacerse las suscriciones por las librerías, comisionados y corresponsales, con el recargo en el precio que corresponda.

Las reclamaciones por extravío de los números de LA GUIRNALDA se servirán á las suscritoras dentro de los plazos siguientes: Madrid, 15 dias.—Provincias, un mes.—Ultramar y extranjero, tres meses. Pasados estos plazos deberán abonarse los números al precio de venta. Para toda carta que exija contestacion deberá enviarse el sello correspondiente.

PRECIOS DE SUSCRICION

1.ª EDICION.—EDUCACION Y LABORES.

Madrid: en esta Administracion: Un mes, 1 peseta.=Un año, 11.=En las librerías: Trimestre, 3 ptas.=Año, 12
Provincias: dirigiéndose á esta Administracion: Trimestre, 3'50 ptas.=Semestre, 6'50.=Año, 12.=Por corresponsales: Trimestre, 3'75 p.=Semestre, 7,50.=Año, 13.
Extranjero y Ultramar: en la Administracion: Año, 20 pts.=Por comisionado, 25.

2.ª EDICION.—MODAS.

Madrid: en esta Administracion: Un mes, 1 peseta.=Un año, 11.=En las librerías: Trimestre, 3 pts.=Año, 12.
Provincias; dirigiéndose á esta Administracion: Trimestre, 3,50 pts.=Semestre, 6'50.=Año, 12.=Por corresponsales: Trimestre, 3'75 p.=Semestre, 7'50.=Año, 13.
Extranjero y Ultramar; en la Administracion: Año, 20 pts.=Por comisionado, 25.

3.ª EDICION.—DIBUJOS PARA BORDAR.

Madrid: en esta Administracion: Semestre, 4 ptas.=Año, 7'50.=En las librerías: Semestre, 4'50 pts.=Año, 8 50.
Provincias: dirigiéndose á esta Administracion: Semestre, 4'50 pts.=Año, 8.=Por corresponsales: Semestre, 5 p.=Año, 9'50.
Extranjero y Ultramar; en la Administracion: Año 12'50 pesetas.=Por comisionado, 17'50.

EDICIONES 1.ª y 3.ª ó 2.ª y 3.ª

Madrid: Mes, 1'50 pts.=Trimestre, 4.=Semestre, 8.=Año, 15.
Provincias: Trimestre, 4'50 pts.=Semestre, 9.=Año, 17.=Por corresponsales: 5, 9'50 y 17'50.
Extranjero y Ultramar: Año. 25 pts. y 30 por comisionado.

EDICIONES 1.ª y 2.ª

Madrid: Un mes, 1'50 pts.=Trimestre, 4'50, =Semestre, 8'50.=Año, 16.
Provincias; Trimestre, 5 pts.=Semestre, 9'50.=Año, 17'50.=Por corresponsales, 5'50, 10'50 y 18'50.
Extranjero y Ultramar: Año, 25 pts. y 30 por comisionado.

EDICION COMPLETA (1.ª, 2.ª y 3.ª)

Madrid: Un mes, 2 pts.=Trimestre, 6.=Semestre, 11.=Año, 20.
Provincias: Trimestre, 7 ptas.=Semestre, 12,—Año, 22.=Por corresponsales: 7'50, 13 y 23.
Extranjero y Ultramar: Año, 35 ptas. y 40 por comisionado.

ÁLBUMS DE DIBUJOS, LETRAS Y ENLACES

Se publicarán periódicamente de éstos, y de crochet y otras labores, con los mejores dibujos de LA GUIRNALDA. —Los precios serán: 1, 1'50 y 2 Ptas.—Para facilitar la adquisición de estos dibujos, se abre suscricion para un reparto semanal de cuadernos para pagarlos en el acto de su entrega á 25 céntimos de peseta en Madrid, y en provincias á 30 céntimos entregados á domicilio.—También se remitirán á provincias por el correo, abonándolos antes á 25 céntimos cada uno.

EN VENTA: Números de 1.ª, 2.ª y 3.ª, 2'50 Ptas.—Número de una sola edicion, 1.—Número de dos ediciones y pliegos de dibujos, estampados por las dos caras, 1'50 Ptas.—Pliegos de dibujos, 1.—Piezas de música, 1.—Álbums de crochet, frivolité y de colores para cañamazos y sedas, de 0'50 á 3 Ptas.—Para las suscritoras, los pliegos de dibujos de años anteriores 0'50 y 0'75 Ptas.; los álbums, 1'50 Ptas.—Anuncios á precios convencionales.

SE PUBLICA LOS DIAS 5 Y 20 DE CADA MES

ADMON.: BARCO, 2 DUP., 3.°, MADRID

Propietario, D. Miguel H. de Cámara, *á quien se dirigirá toda la correspondencia.*

II

LA LITERATURA DE CONSUMO

2. Comercialización de la literatura

Con la llegada de la comercialización de la literatura, entre los años 1830 a 1850, la literatura se populariza, y se populariza debido a la iniciativa de los editores responsables de su publicación. Impulsados y estimulados estos editores por las enormes ganancias que la publicación y distribución de esta literatura produce, se lanzan frenéticamente a un mercado literario en busca de folletos, cuentos, novelas y ensayos. Montesinos se refiere a la popularidad a la que llegan las obras literarias en los siguientes términos: «No sólo entre las gentes ilustradas viven y animan los entes de ficción; todos conocen sus nombres y saben de sus vidas; quien no los ha leído en los libros, los leyó en pliegos sueltos de cordel o los de los ciegos[1].

---

[1] José F. Montesinos: *Introducción a una historia de la novela en España, en el siglo XIX* (Valencia: Editorial Castalia, 1955), p. 164. Además del libro de Montesinos, se han publicado los siguientes libros sobre la literatura del siglo XIX: J. F. Botrel y S. Salaün, *Creación y público en la literatura española* (Madrid: Editorial Castalia, 1974). Véase particularmente el capítulo de Botrel, «La novela por entregas: unidad de creación y consumo», pp. 111-155; Reginald F. Brown, *La novela española* 1700-1850 (Madrid: Bibliografías de Archivos y Bibliotecas, Dirección General de Archivos y Bibliotecas, Servicio de Publicaciones del Ministerio de Educación Nacional, 1953); Salvador García, *Las ideas literarias en España entre* 1840 *y* 1850 (Berkeley: University of California Press, 1971); Juan Ignacio Ferreras, *Introducción a una sociología de la novela española del siglo XIX* (Madrid: Cuadernos para el Diálogo, 1973); *La novela por entregas:* 1840-1900 (Madrid: Taurus Ediciones, S. A., 1972); *Los orígenes de la novela decimonónica* 1800-1830 (Taurus Ediciones, S. A., 1973); Andrés González Blanco, *Historia de la novela en España desde el Romanticismo a nuestros días* (Madrid: Sánchez de

Las fábricas literarias de novelas de folletín creadas con el fin de satisfacer la gran demanda atestiguan el estado de comercialización que había alcanzado la obra popular. Benito Pérez Galdós, en su novela *Tormento*, reacciona ante el fin eminentemente capitalista de los novelistas folletinescos, a través de uno de sus personajes, Ido del Sagrario. Ido, ayudante-escritor («operario») de un novelista de folletines califica su trabajo de «honroso y lucreativo». Al principio de la novela relata los detalles de su trabajo de la siguiente manera:

> Tomóme de escribiente un autor de novelas por entregas. El dictaba, yo escribía... Mi mano, un rayo... Cada reparto, una onza. Cae mi autor enfermo y me dice: «Ido, acaba ese capítulo». Cojo mi pluma, y ¡ras!, lo acabo y enjareto otro y otro. Chico, yo mismo me asustaba. Mi principal dice: «Ido, colaborador...». Emprendimos tres novelas a la vez. El dictaba los comienzos, luego yo cogía la hebra, y allá te van los capítulos y más capítulos... En fin, chico, allá salen pliegos y más pliegos... Ganancias partidas: mitad él, mitad yo... Capa nueva, hijos bien comidos, Nicanora curada... Yo, harto y contentísimo, trabajando más que el obispo y cobrando mucha pecunia[2].

La literatura de consumo consistía en las novelas de entrega y las obras de folletín. Las publicaciones por entregas consistían, a su vez, en cuadernillos o pliegos distribuidos en fragmentos directamente al consumidor. En su definición francesa original, el término «folletín» tenía un doble significado. Podía ser un escrito (generalmente una novela fragmentada) que se insertaba

---

Jubera hermanos, 1909); Joaquín Marco, *Literatura popular en España en los siglos XVIII y XIX* (Madrid: Ediciones Taurus, 1977) y Romero Tobar, *La novela popular española del siglo XIX* (Madrid: Ariel, 1976). Véanse también los dos artículos de Peter Goldman, «Toward a Sociology of the Modern Spanish Novel: the Early Years», *Modern Language Notes*, vol. 89, n.º 2 (march, 1974), pp. 173-190 y vol. 90, n.º 2 (march, 1975), pp. 183-211.

[2] Benito Pérez Galdós: *Tormento* en sus *Obras completas*, Madrid. Aguilar, 1970, p. 1463 b.

en la parte inferior de una página del periódico. También se consideraba un folletín una sección fija en los periódicos y revistas, cuyo propósito era la publicación de ensayos de crítica y de cultura.

En España el término «folletín» adoptó ambas definiciones. Muchas de las novelas escritas en esta época salieron por primera vez insertadas en las secciones del folletín destinadas casi siempre a la publicación de novelas. Los periódicos y muchas de las revistas contaban también con columnas fijas donde se publicaban ensayos de crítica y cultura, siguiendo el modelo francés, además de novelas y cuentos fragmentados. Tobar llama la atención a la función importante que desempeñaron las revistas en la propagación de novelas publicadas bajo la rúbrica del «folletín»[3].

La clase social de donde venía la mayoría de lectores de la literatura de consumo es, hasta este momento, incierta, como incierto es el número específico de lectores que leían este tipo de obras. Para críticos como Ferreras, la mayoría de los lectores de las obras folletinescas, provenía de las clases bajas. Peter Goldman, por otro lado, señala que el público lector provenía de las clases pudientes. Para Goldman, el nivel económico en que vivían estas personas hacía posible la compra de libros, revistas y periódicos. Contaban también con el nivel de educación necesario para la lectura y tenían los momentos de ocio y el espacio físico y psicológico indispensables para este tipo de recreación[4]. F. F. Botrel menciona que el público de la novela por entregas provenía de capas, o sectores, recientemente alfabetizados. Llega Tobar a esta conclusión considerando las articulaciones formales del discurso folletinesco —especialmente el elemento de fragmentación que lo caracteriza— y el sistema de publicación[5]. Tobar añade otro elemento que dificulta aún más la compleja dialéctica entre literatura y público lector. Señala Tobar la presencia de «microgrupos» (grupos pequeños) que se reunían periódicamente con el propósito de leer públicamente los diferentes periódicos y revistas[6]. Ferreras se refiere a los «gabinetes

[3] TOBAR: p. 55.
[4] GOLDMAN: Vol. 90, p. 190.
[5] BOTREL: p. 133.
[6] TOBAR: p. 116.

de lectura». Según Ferreras, Madrid y Barcelona contaban con los denominados «gabinetes de lectura» cuya función era la de facilitar a sus socios el consumo módico de periódicos españoles y extranjeros, libros y revistas[7].

El estudio de la relación entre la literatura y el lector, basado en el número de personas alfabetas tampoco ha sido solucionado hasta el momento. Tobar menciona un censo publicado en 1860 en el cual se señalan cifras mostrando el estado de instrucción nacional.

	Varones	Hembras	Total
Sabían leer y escribir ..	2.414.015	715.906	3.129.921
Sabían sólo leer	316.557	389.221	705.778
No sabían ni leer ni escribir	5.034.545	6.802.846	11.837.391
Sin clasificación	391		391
TOTAL	7.765.508	7.907.973	15.673.481

Según el autor del censo, en la España de 1860, 31 de cada 100 españoles sabían leer y escribir. En Madrid, sabían leer uno de cada dos habitantes. En 1877, el nivel de analfabetismo no había variado mucho, como se comprueba en el hecho de que el 62,7 por 100 de los hombres españoles no sabía leer ni escribir. El porcentaje entre las mujeres, en la misma condición, alcanzaba el 81 por 100[8].

Goldman menciona que en el año 1860 sólo uno de cuatro españoles sabía leer; menos de uno en cinco podía leer y escribir. La mayoría de estas personas eran hombres. En cuanto a las mujeres, una de cada veinte personas (de ambos sexos) sabía leer y escribir. Esto significa, para Goldman, que en un país con una población de 15.600.000 personas, había solamente 775.000 mujeres que podían leer y escribir[9].

---

[7] Ferreras: *La novela por entregas*, p. 40.

[8] Tobar: p. 116.

[9] Goldman: Vol. I, p. 186.

J. F. Botrel, refiriéndose solamente al consumo de las novelas de entrega, calcula que en 1868 la novela por entregas pudo haber contado con una suma de 800.000 a un millón de lectores. Para Botrel, estas cantidades significarían que aproximadamente un cuarto de la población alfabetizada española pudo haber tomado parte en la lectura de novelas de entrega[10].

Como se puede ver por estos datos, así como también por las contradicciones inherentes en las conclusiones de los varios críticos que se han aproximado a este tema, es evidente que un análisis de este tipo está todavía por completar. Proponemos nosotros en este estudio otro tipo de análisis para aproximarse a la compleja relación entre literatura y público lector. En lugar de un estudio sociológico el análisis en esta obra se aproxima a la dialéctica entre lector y literatura pero a través de criterios ideológicos. Se espera, de esta manera, llegar a importantes conclusiones, no ya a través de las cifras pero más bien a través de las ideas principales comunicadas en la obra burguesa de consumo.

Para empezar, nos hemos aproximado a la relación literatura-público lector tomando, como punto de partida, la postura del narrador omnisciente. Hemos considerado, por un lado, la relación del narrador omnisciente con el supuesto «lector» y, en segundo lugar, las ideas que se transmiten a través de esta relación. En otras palabras, la manera propuesta en este estudio de enfocar la relación literatura-lector, radica en la respuesta a dos preguntas fundamentales: ¿Cuál es la postura del narrador (escritor) omnisciente frente a su «lector»?, y segunda, ¿Qué es lo que le dice? La respuesta a estas dos preguntas nos lleva a conclusiones ideológicas importantes basadas en la tensión entre narrador (escritor) y el supuesto público lector.

La literatura de consumo se presta fácilmente a este tipo de análisis debido precisamente a la posición obvia del escritor. A través del narrador omnisciente, manifiesta el autor una única e inconfundible postura frente al lector. Esta actitud que prevalece a lo largo de toda la obra es fácil de identificar. Poco, o nada, disimula el autor frente al lector. No le oculta especialmente la ideología con la que lo quiere impresionar.

Desde la introducción de la obra hasta el último capítulo se

---

[10] BOTREL: p. 132.

encuentra una serie de declaraciones en las que queda establecida la relación que busca el autor. Implanta, para empezar, una nota de proximidad afectiva y sentimental hacia el lector elaborada en el capítulo anterior. Establecidos los aspectos de aproximación y afectividad, le apunta el escritor a su público la necesidad de que le lea con cuidado. Se considera a sí mismo un «experto» en el tema de que está escribiendo y señala que sus conocimientos derivan del producto de su propia investigación y estudios, o en algunos casos de los estudios de otros autores. Juan Antonio Almela expresa en un ensayo publicado en el *Museo Universal* que sus conocimientos sobre la mujer soltera derivan de sus estudios de este fenómeno social, «Yo conozco a mi solterona entre 100 viejas... Las he estudiado mucho, y además tienen un sello especial que a primera vista las distingue de las demás mujeres...»[11]. A. Palacio Valdés, por otro lado, afirma en un cuento suyo publicado en *La España Moderna* que su postura de experto frente a la institución del matrimonio deriva de otro texto. Escribe Palacio Valdés, «Sé muy bien, porque lo he leído en el *Ideal de la Humanidad* de Krause con notas de Sanz del Río»[12].

El papel de «experto» en que se coloca el autor lo capacita para hacer decisiones para el lector, especialmente en lo tocante a la ética y a la moral. Pérez Escrich, en *La mujer adúltera*, le pregunta al lector, «¿Quién se compadece de una adúltera?», para responder él mismo, «Nadie». Una vez establecida su postura, presenta razones «naturales» que lo han llevado a tomar tal decisión. En la misma novela leemos sobre el tema del adulterio en la mujer: «Su castigo de la adúltera es justo, el desprecio que le arrojan al rostro es la consecuencia legítima de la asquerosa falta que ha cometido»[13].

La actitud del escritor puede variar frente al lector. El tono puede ser dulce y humilde: «Yo, humilde escritor, sin más patrimonio que mi pluma, sin más ejecutoria que mi honradez...», es-

---

[11] JUAN ANTONIO ALMELA: «Cuadros contemporáneos: La mujer soltera», *Museo Universal*, IX, n.º 17 (23 de abril de 1865), p. 47.

[12] A. PALACIO VALDÉS: «Seducción», *La España Moderna*, I, n.º XII (junio de 1889), p. 12.

[13] PÉREZ ESCRICH: *La mujer adúltera*, vol. II, pp. 116-117.

cribe Pérez Escrich[14]. Puede también ser insistente: «Te lo he dicho siempre, y te lo repetiré sin cesar...»[15]. La relación cuidadosamente establecida por el escritor coloca al lector en una posición inferior, de subordinación. Se podría comparar esta relación a aquella de un padre consejero amonestando, suavemente, a un hijo cándido e inocente. A éste le aconseja, le ordena con suavidad, que siga una serie de dictámenes establecidas por él en su obra, «te recomiendo...» o «deja...» o «rechaza...». En el «Prólogo» a las Obras Completas de uno de los más asiduos escritores de obras de consumo, Ayguals de Izco, escribe su biógrafo el tipo de relación que tenía el escritor con su público lector. Para Ayguals, señala Joaquín Marco:

> el lector es como un niño al que hay que educar e instruir. Así hay que explicarle anécdotas históricas, historia natural e interpretarle los hechos. El novelista acompaña de la mano al lector y le guía como un maestro. Le advierte contra el peligro de algunas doctrinas, especialmente las que atentan la propiedad[16].

Le pide al lector que desconfíe de sí mismo: «No confiéis demasiado en vuestro trabajo, en vuestra sobriedad, en vuestra economía...»[17]. Condena el escritor cualquier posibilidad de cambio en su lector: «Qué distinta te considero de cuando te apartaste de mi lado... Qué diversa en el día tu conducta... Yo me acuerdo cuando...»[18].

Cuando el público está compuesto en su mayoría de mujeres, las amonestaciones y los consejos se hacen más insistentes, y la

---

[14] ENRIQUE PÉREZ ESCRICH: *La esposa mártir* (Madrid: Librería de Miguel Guijarro, 1865), vol. I, p. 344.

[15] A. L.: «Carta al lector», *Correo de la Moda*, II, n.º 10 (marzo de 1852), p. 156.

[16] JOAQUÍN MARCO: Prólogo, *La bruja de Madrid*, por Wenceslao Ayguals de Izco (Madrid: Editorial Taber Epos, S. A., 1969), p. 20.

[17] RICARDO SAUNDERS: «El camino de la fortuna», *Correo de la Moda*, II, n.º 5 (enero de 1852), p. 74.

[18] J. M. y L.: «Afectos de una madre», *El Católico*, n.º 49 (Murcia, 21 de octubre de 1820), p. 389.

postura del escritor es más aparente todavía. La actitud de superioridad de éste, frente a un público femenino, se intensifica. Al tono afectivo proyectado en la frase «querido mío», se le ha añadido el elemento de la juventud. Ahora nos encontramos con «mi pequeña amiga» o «vosotras, queridas niñas». Las amonestaciones son más intensas y más numerosas: «Alentaos cada día más y trabajad por la abolición de la esclavitud»[19] o «Te recomiendo más todavía... vive sobre todo para... deja... rechaza...»[20].

Muchos de los consejos orientados a la mujer se concentran en un solo tema, el amor. Otra vez, nos encontramos con una serie de preguntas retóricas basadas esta vez en la relación entre la mujer y el amor.

> ¿Qué pide la mujer durante la vida? Amor, un poco de amor. ¿Cuál es su afán más vivo, más constante? Amar y ser amada. ¿De dónde emana ese fluído dulce, inexplicable, que embellece nuestra existencia, y sin el cual la vida sería árida como los tétricos montes de Judea? Del amor.
>
> ¿Quién derramó sobre la fatigada criatura ese soplo divino que une dos almas en una, que poetiza hasta la miseria, que perfuma el ámbito donde se encierra? El amor[21].

La cualidad afectiva y paternalista que caracteriza el contacto inicial del escritor con su lector(a) —la cual se mantiene a través de toda la obra— tiene la función de disponer al lector a una serie de valores que vendrán más adelante. La propagación de estos valores es tan evidente en la literatura de consumo que no sería exagerado concluir que la obra de consumo publicada a partir de los años 40 tenía como función primordial la de servir de manual moral a favor del status-quo: manual compuesto de una serie de reglas y preceptos que apoyaban los intereses de la burguesía. Aún más: Se podría concluir que el factor unificante de todas estas obras radica precisamente en su ideología. Esta

---

[19] Anón.: *La armonía*, II, n.º 47 (11 de abril de 1871), p. 2.

[20] PILAR SINUÉS DE MARCO: «Pensar y sentir», *La Epoca*, XXXV, n.º 11.194 (10 de septiembre de 1883), p. 5.

[21] PÉREZ ESCRICH: *La esposa mártir*, vol. I, p. 345.

semejanza de contenido nos lleva a considerar a todas las obras de consumo como *la* obra de consumo: el gran *Libro* donde los editores y escritores iban anotando provisionalmente aquellos valores que pudieran favorecer a la burguesía, para ser pasados después a los libros jurídicos, si fuera necesario. Para comprender estos valores en su totalidad es necesario analizar el papel de la burguesía frente a la literatura de consumo.

El estilo de la burguesía en el siglo XIX era «cosmopolita», si por tal concepto se entiende la imitación de la burguesía francesa. Aunque la influencia de Francia en la península responde, en parte, a la condición de colonia en que se encontraba España, la actitud de la burguesía frente a la burguesía francesa contribuyó aún más a la propagación de lo francés en tierra nacional. La influencia del elemento francés es bastante evidente sobre todo en la literatura española. Montesinos señala que «todo viene de Francia, aún lo que no es francés, y los orígenes de casi todo lo que se imprime dentro de la Península radica en París»[22].

La postura frente a «lo francés», favoreció en España la introducción de patrones literarios franceses. Como resultado, surgen muchas novelas directamente traducidas del francés. También empiezan a aparecer obras españolas imitando los patrones franceses. Reginard Brown menciona que en 1844 se tradujeron en España seis novelas distintas de Eugene Sue, una de ellas en tres versiones diferentes[23].

Con los años 40 se inicia la imitación de revistas de modas y salones de origen francés. Consistían estas publicaciones en una combinación de ensayos, cuentos y novelas con el fin de entretener a su público femenino al mismo tiempo que lo instruían en diversos aspectos de la moral y de los sentimientos. Venían estas obras rodeadas de notas frívolas, figurines y anuncios de todo tipo de artículos de belleza de origen extranjero. Esta lucrativa prensa la inició en Francia el señor De Mesagere, con su *Journal del dames et des modes*, seguida por *L'Observateur des modes* (1818-1823), *Le petit courrier des dames*, *La mode* (1829), de Emile de Girardin. En España este tipo de prensa se inició en el

---

[22] MONTESINOS: *Introducción*, p. 98.

[23] BROWN: P. 33.

año 1840 con el *Defensor del bello sexo* y el *Pensil del bello sexo*, de la misma época. En 1851 apareció el *Correo de la moda*. *La Moda*, de Cádiz, se trasladó a Madrid en 1870. Antecedentes en España de este tipo de revistas se encuentran, no obstante, en 1822 con el *Periódico de las damas*, y en 1833 con el *Correo de las damas*, aunque estas dos últimas publicaciones estuvieran dirigidas a un público más sofisticado y pudiente que las posteriores[24].

Muchos de los preceptos moralizantes proyectados en la literatura de consumo nacional eran un reflejo de aquellos que se encontraban en la literatura francesa. Recurren los escritores españoles a aquellos escritores franceses cuyas obras demostraban un conformismo con los preceptos de la «sana moral» compatible con los valores de las clases privilegiadas. Entre los autores franceses cuyas ideas son utilizadas frecuentemente en la literatura española tenemos a Stael[25], Say[26], Mirabau[27] y La Bruyere[28]. Muchas veces estos nombres, y otros, se incluyen en los títulos de las obras: «Instrucción: Pensamientos de Balzac sobre la mujer»[29], «Instrucción: Un Pensamiento de La Bru-

---

[24] ANTONIO ELORZA: «Feminismo y socialismo en España (1840-1868)», *Tiempo de Historia* (Madrid, 1975), I, n.º 3, pp. 48-49.

[25] ANA LUISA STAEL-HOLSTEIN, Baronesa. Escritora francesa, nacida en París el 22 de abril de 1766 y muerta en la misma ciudad el 14 de julio de 1817. De sus obras se publicó en castellano, *Corina o la Italia* (Madrid, 1818) y *Delfina o la opinión* (Burdeos, 1828). En su obra *De l'allemagne* (1810) protesta la autora contra el materialismo que reinaba en Francia durante el Imperio en detrimento de las ideas.

[26] LEON SAY. Hombre de Estado, francés, nacido y muerto en París (1826-1896). Tuvo una parte importante en la dirección del *Journal des Debats;* fue colaborador de varios periódicos de economía política, desde cuyas columnas impugnó la política económica del Imperio. En 1886 ingresó a la Academia Francesa. Débesele *Le Socialisme d'Etat* (1844), *Economie Sociale* (3.ª ed., 1891) y *Contre le Socialisme* (1891).

[27] VÍCTOR RIQUETI MIRABAU. Economista francés (1715-1789).

[28] JEAN DE LA BRUYERE. Moralista y escritor de costumbres. Nació en París en 1645 y murió en Versalles en 1696. Ingresó en la Academia Francesa en 1693. Su obra maestra es *Les Caracteres*, escrita en 1688.

[29] A. PIRALA: «Instrucción. Pensamientos de Balzac sobre la mujer», *Correo de la Moda* (Madrid, 8 de diciembre de 1856), VI, 189, pp. 389-390.

yere»[30], «La Madre, por la Condesa Dash»[31], «Estudios morales. El ramo de flores, de Enrique Berthoud»[32], «Fragmentos de una carta de mujer, de Alfonso Daudet»[33]. Un ejemplo de un cuento traducido del francés al español es, «Pobreza no es vileza», de J. Legeray[34].

La postura de los escritores españoles frente a la literatura francesa es, sin embargo, contradictoria. A pesar de que la influencia francesa es muy aparente, se encuentran escritores que rechazan la literatura francesa por su influencia «perniciosa». Protestan estos críticos, por ejemplo, contra la enorme influencia de la novela francesa en la mujer lectora. Especialmente les preocupa el efecto que estas obras produce en la joven doncella. Los «errores» de la juventud femenina son vistos como resultado de la imitación de actitudes y modos de conducta aprendidos en la lectura de novelas de origen francés, especialmente las de folletín. A estas novelas se les responsabiliza, por ejemplo, de que la mujer joven adquiera ideas románticas del amor.

A pesar de estas voces disidentes es evidente que los patrones franceses habían alcanzado un lugar predominante en las letras

---

[30] A. Pirala: «Instrucción. Un pensamiento de La Bruyere», *Correo de la Moda* (Madrid, 31 de marzo de 1856), VI, 156, pp. 97-98.

[31] Condesa Dash: «La madre», *La Guirnalda* (Madrid: 20 de enero de 1876), X, 2, pp. 11-12. Gabriela Ana Cisternes de Courtiras Sash fue una novelista francesa, nacida en Pietiers y muerta en París (1804-1872). Pertenecía a una familia aristocrática y reveses de fortuna la hicieron dedicarse a la literatura. Escribió gran número de novelas inspiradas casi todas ellas en las costumbres de los siglos XVII y XVIII.

[32] Enrique Berthoud: «Estudios morales. El ramo de flores», *Museo de la Familia* (Madrid, 25 de noviembre de 1845), tomo III, pp. 252-256. Berthoud fue un escritor francés, nacido en Cambrai (1804-1891). Fundó un periódico en su ciudad natal, donde también estableció cursos gratuitos de higiene, de anatomía, de derecho comercial y de literatura.

[33] A. Daudet: «Fragmentos de una carta de mujer», *La España Moderna* (Madrid, enero de 1891), III, XXV, pp. 200-205. Alfonso Daudet fue un novelista francés, nacido en Nimes (1840-1897). Algunos de sus escritos se hicieron célebres, como *Cartas desde mi molino* y *Tartarín de Tarascón*. También escribió novelas de carácter social.

[34] J. Legeray: «Pobreza no es vileza», *Museo de la Familia* (Madrid, 25 de octubre de 1844), tomo II, pp. 232-236.

españolas. Tal vez Antonio Flores, mejor que ningún otro, vocaliza la postura del escritor frente a la influencia extranjera. En la «Introducción» a su novela defiende su obra, explicando que de no haberla escrito siguiendo el patrón francés, habría sido rechazada miserablemente por un público lector que no conocía otro tipo de literatura: «Hacer una novela al estilo francés, es una cosa indispensable, porque de otro modo la habrían arrojado lejos de sí, los que hace 20 años apenas leen otra cosa que novelas traducidas»[35].

El aspecto romántico-sentimental de la literatura de consumo es otro de los elementos que necesita ser analizado para comprender la relación entre el lector y la literatura. Las lágrimas y el romance se ha visto como un ingrediente adicional a aquellos utilizados por los editores y escritores en su deseo de atraer un mayor número de lectores. Un ejemplo de esta dosis de sentimentalismo la encontramos en la imagen de la Mujer Virtuosa. Este personaje está caracterizado de tal manera que su presencia parecería querer evocar en el lector los sentimientos del sufrimiento y la tristeza. Un análisis de estos sentimientos nos demuestra, no obstante, el aspecto manipulador implícito en la aplicación del romance y del sentimiento en este personaje. Antes de llegar a conclusiones ideológicas basadas en la utilización de recursos sentimentales como eran las lágrimas y el amor es necesario, sin embargo, tomar en consideración la influencia del Romanticismo en la literatura de consumo.

En sus orígenes, el Romanticismo en España adoptó una doble postura frente a los valores sociales de la época. Mientras que, por un lado el Movimiento es un vehículo de ciertos valores aristocráticos, por otro lado rechaza estos mismos valores. Tuñón de Lara escribe sobre el conflicto moral que caracterizó a estos escritores de principios de siglo:

> El Romanticismo, que se extendía por toda Europa, si en una de sus expresiones significaba la añoranza de la nobleza... en otra es un grito de protesta, de desacuerdo de un importante sector burgués e intelectual que abraza

[35] ANTONIO FLORES: p. xiii.

> la causa liberal y democrática o que critica sencillamente la situación[36].

La estructura dialéctica que caracterizó la obra romántica es el resultado del conflicto de valores que definió a sus autores. Esta estructura es responsable, por ejemplo, de que los personajes proyectados en las obras románticas fueran personajes caracterizados de tal manera que no quedara ninguna duda sobre su postura frente a aquellos valores mantenidos o rechazados por los románticos. A aquellos personajes que estaban a favor de la búsqueda del ideal romántico, simbolizado en el amor o en el escape de toda rutina que aprisionara la individualidad humana —a través de la aventura— se les idealiza, presentándolos como los «buenos». A aquellos que rechazaban estos ideales, o valores románticos, se les presentaba como los «malvados» o «los malos». Asimismo, cada personaje tenía su contrario, a manera de confrontación: los «buenos» frente, o en oposición, a los «malos»[37].

El deseo de rechazar los valores constituidos se refleja en la obra romántica a través de una excesiva nota de nostalgia. Este sentimiento de pesar que causa el recuerdo de algún bien perdido contribuyó aún más a que los personajes se convirtieran en figuras estilizadas, desarrolladas de tal manera que terminaban siendo personajes modelos, ejemplares.

En la literatura de consumo que surge cuando el Romanticismo, como movimiento literario, empieza a declinar, se encuentra una continuación de la misma dialéctica que había caracterizado la obra de los románticos. Esto responde a que la presencia de los personajes ejemplares y la nota de nostalgia es semejante en estas dos literaturas. También ha permanecido en la obra de consumo el sentimentalismo, aunque más exagerado. La diferencia entre ambos estilos se puede comprobar en los dos poemas siguientes, el primero, romántico, el segundo, propio de la literatura de consumo.

---

[36] MANUEL TUÑÓN DE LARA: *La España del siglo XIX* (Barcelona, Editorial Laia, 1973), p. 96.

[37] Sobre este tema, véase la obra de Northrop Frye, *Anatomy of Criticism* (Princeton, Princeton University Press, 1957).

«La huérfana»

Niña pura y celestial
no te digo que no llores,
pídote por mis amores
que te mires al cristal.

Verás en tu desconsuelo
cuan mal lloran los dos,
si en tus ojos puso Dios
toda su gloria y su cielo.

Del poeta la misión
sobre el suelo de las penas
es ceñirte de azucenas
y sentir tu inspiración...[38].

«La huérfana»

Despierta, ¡madre mía!
Madre, ¡despierta!
Dí, ¿por qué me abandonas?
¿Por qué me dejas?
¡Ay, no me quieres,
Madre mía te has ido
pero no vuelves!

Ya en mis rubios cabellos
No pondrás flores
Ni oiré los dulces ecos
de tus canciones;
Quiero besarte
y dormir en tus brazos,
¿dónde estás madre?

---

[38] AROLA: «La huérfana», *Poesías caballerescas y orientales* (Valencia, 1840), p. 290.

¡Pobre niña! Sus ayes
recoje el viento,
y a sus tristes gemidos
responde el eco;
¡Y sólo, madre...!
Vagamente repiten
montes y valles.

Y llega a las cabañas
y a los palacios,
pregunta por su madre
bañada en llanto;
Dicen: ¡ha muerto!
Y un anciano responde:
«Está en el cielo»[39].

En el primer poema el poeta establece una distancia entre él y el sufrimiento de la niña. Aunque se dirige a ella reconociendo su dolor, utiliza la actitud dolorosa de la huérfana como tema de inspiración. En el segundo poema, sin embargo, el poeta siente tan de cerca el dolor de la niña que el concepto de distancia ha desaparecido, especialmente en la primera parte del poema. El aspecto de las lágrimas se ha acentuado en el segundo poema al ser la huérfana misma la que manifiesta su propio dolor. Al mismo tiempo se percibe una nota de condena orientada a la madre ausente por ser ésta la responsable del sufrimiento de la doncella.

Otras dos características del romanticismo que prevalecen en la literatura de consumo son el moralismo y el didactismo, aunque ambas llegan marcadas por un cambio importante. En la obra de consumo ha desaparecido la tensión moral que caracterizaba la obra romántica, tensión basada en la postura contradictoria en que se encontraban los escritores frente a los valores constituidos. Con los románticos se ha ido el deseo de evasión y de rebeldía frente a una sociedad que no los comprendía ni los aceptaba. En otras palabras, la exaltación romántica del individuo

[39] José del Castillo y Soriano: «La huérfana», *Correo de la Moda* (Madrid, 24 de diciembre de 1867), XVII, 719, p. 374.

ha pasado a ser en la obra de consumo una aceptación pasiva de la realidad circundante. Falta en la segunda la nota de protesta que caracterizaba a muchos de los protagonistas románticos, estableciéndose en su lugar una actitud de resignación y de obediencia a los cánones establecidos.

Esta característica de la literatura burguesa se ve claramente en la proyección de la aventura. Mientras que en la obra romántica el héroe se orientaba hacia el mundo exterior en busca de la realización de su ideal, por encontrar el ambiente inmediato sofocante a la realización de su ser, en la literatura de consumo, el sentido de aventura pierde su característica activa, adoptando en su lugar una actitud pasiva. Se cierra el mundo abierto de los románticos y en su lugar las «aventuras» de sus protagonistas toman lugar en dimensiones más reducidas, como en las del hogar. El mundo externo se proyecta en la literatura de consumo como un mundo demoniaco, perverso, cuyos efectos en sus protagonistas son la destrucción y deterioración de la moral. Esto nos lleva a otro cambio importante entre una y otra literatura. El héroe de la literatura romántica se ha convertido en una heroína, no ya activa, ansiosa de pasión y en busca de aventuras que la conduzcan en un proceso de autorealización a una libertad sin límites. No, la heroína de la literatura de consumo se define precisamente por sus cualidades inversas: obediencia, pasividad y felicidad en la resignación.

Las razones que contribuyeron al fin del movimiento Romántico en España a finales de los años 30 radican en la postura de la sociedad frente a los valores proyectados en la literatura romántica. Rechaza la crítica, y la sociedad con ellos, los valores anti-castizos, anti-tradicionales de los románticos. En un ensayo del conocido crítico José de la Revilla se encuentra la razón principal que llevó a la sociedad a adoptar una postura antagonista ante la moralidad romántica:

> Miran [los románticos] con tedio todo cuanto nos rodea... consideran la vida privada de placeres como un peso insoportable del que es preciso librarnos de *cualquier modo;* ven en la desgracia, no la obra de nuestras manos, sino la justicia de la providencia.

Considera Revilla la imperiosa necesidad de alterar esta moralidad

> por otra más dulce, más sublime, de origen más elevado y puro, en donde embriagada la mente con la esperanza de un porvenir consolador pueda soportar con magnánima conformidad las adversidades anejas a la vida humana[40].

Los valores de la literatura de consumo son, en oposición a los de la literatura romántica, conservadores, tradicionalistas y compenetrados de una fuerte dosis de moralismo y de didactismo. De ahí que no sorprende el encontrar obras en las cuales los autores, y sus críticos, expresen abiertamente que el propósito fundamental de toda obra literaria radica en su función moralizante del público que la consume. Don Ildefonso Bermejo, crítico de la novela de Antonio Flores, *Fe, esperanza y caridad*, vocaliza mejor que nadie la función de la literatura:

> Preciso es confesar... que la novela contemporánea [1870-80] no es la invención de puro entretenimiento... hoy aspira la novela a un fin más alto: no sólo a interesar, sino que procura ejercer la influencia más directa en el ánimo de sus lectores, demostrando en su esencia un resultado filosófico y saludable en favor de la humanidad: se propone patentizar el frecuente contraste de la virtud y del vicio; despojar con notable destreza la máscara con que se cubre a menudo la hipocresía, corrige los errores en que incurre la sociedad...[41].

Teniendo esto en cuenta, la literatura de consumo, sin llegar a ser un sermón y sin perder su carácter de ficción, se dedica a la instrucción moral de su público lector: instrucción orientada a destruir «las impresiones morales del materialismo» y a llamar «la atención hacia las tradiciones»[42].

---

[40] JOSÉ DE LA REVILLA: «Introducción. Estudios literarios», *Museo de la Familia* (Madrid, 24 de enero de 1843), p. 4.

[41] Ildefonso Bermejo en la novela de Antonio Flores, p. 401.

[42] A. PIRALA: «Introducción: el teatro y la novela», *Correo de la Moda* (Madrid, 8 de noviembre de 1857), VII, n.º 233, pp. 321-322.

3. Manual de conducta

La literatura española de consumo, escrita entre los años 1840 y 1880, se puede definir como un enorme manual de conducta orientado a promover especialmente en un público lector femenino una nueva toma de conciencia que estuviera de acuerdo con los valores de segmentos conservadores de la sociedad española de la época. Aprovechan los escritores la popularidad de esta literatura utilizándola como un medio de divulgación de un código reaccionario que contrarrestara aquellos valores «materialistas» que pudieran poner en peligro los intereses de la burguesía. Lamentando que la presencia de ideas «materialistas» había trascendido los confines de los negocios para penetrar en aquellos sectores tradicionalmente inmutables a todo elemento corruptor de sus funciones básicas —el matrimonio (relación hombre-mujer) y la familia (relación padres-hijos)— se dirigen los escritores especialmente a la mujer lectora. A ésta orientan muchos de sus argumentos antimaterialistas con la esperanza de que, por medio de su influencia, puede ella contrarrestar la fibra de inmoralidad que empezaba a debilitar a la patria.

Aunque el porcentaje de mujeres lectoras era inferior al de los hombres, la cantidad de publicaciones dirigidas a la mujer demuestra que había un numeroso público femenino devorador de literatura de consumo. Montesinos señala que ya desde los años 30 habían hecho su aparición revistas dirigidas a la mujer como la *Biblioteca de Señoritas*, *Biblioteca de Tocador* y *Museo de las hermosas*[1]. Para un público femenino se publicaba

---

[1] Montesinos: *Introducción*, p. 128.

también la prensa de modas y salones. También se encuentran, entre lo que podría calificarse de «literatura femenina», algunas revistas dedicadas a la educación de la mujer aunque, como veremos más adelante, esta «educación» estuviera más orientada hacia el desarrollo de los sentimientos y a la preservación de la moral que a las facultades intelectuales de su público lector.

No dejan de tener cierto interés los comentarios de algunos críticos sobre la relación entre la literatura publicada en la época que cubre este estudio y el público femenino que tan ávidamente la consumía. Joaquín Marco, en el «Prólogo» de la novela de Ayguals de Izco, *Pobres y ricos o la bruja de Madrid*, señala que el género folletinesco se afianzó, «gracias al interés que muestran las mujeres»[2]. La cantidad superior de «temas femeninos» frente a los «temas masculinos» los atribuye Ignacio Ferreras al numeroso público femenino. (Para Ferreras, un «tema masculino» sería «la lucha por la vida», mientras que temas femeninos eran «el matrimonio», «noviazgo» o «el hijo o hija perdidos»)[3].

Algunas referencias se han hecho también sobre los efectos psicológicos de la literatura de consumo en la mujer lectora. Montesinos señala el deseo de muchas de las lectoras de adoptar los valores literarios a sus propias vidas. Para Montesinos, la mujer buscaba en la lectura un «deseo de irrealidad, de tensión soñadora que el gusto por la ficción romántica comporta, hostil a las circunstancias, al ambiente cotidiano»[4]. Esta reacción de las mujeres lectoras ante la literatura será lo que confirmará, para Montesinos, el triunfo de lo extranjero en España, la evasión de lo cotidiano por lo ideal, o lo que Montesinos clasifica como el «bovarismo puro, cristalizado en almas de mujer»[5]. Además del elemento de «evasión», críticos como Montesinos identifican otra razón que podría justificar la avidez con que la mujer lectora demandaba, y consumía, obras literarias: el elemento de identificación del público con las protagonistas, con sus aventuras, con sus victorias y con sus ideales basados en la belleza, juventud y riqueza.

---

[2] JOAQUÍM MARCO: p. 52.

[3] FERRERAS: *Los orígenes de la novela*, p. 52.

[4] MONTESINOS: p. 132.

[5] *Ibid.*, p. 131.

Aunque ambas razones son válidas y podrían responder al factor psicológico que orienta a un público determinado —la mujer en este caso— al consumo de un tipo específico de literatura, no explican claramente la presencia de la ideología proyectada en las obras de consumo y orientadas a este público femenino. Los valores en que se basan los escritores para escribir sus obras nos conducen a modificar ligeramente las dos razones señaladas por la crítica. Dado precisamente el elemento de identificación por parte del público lector con la obra literaria —especialmente si este público es ingenuo y sin una preparación formal adecuada, como lo era la gran mayoría de las mujeres en esta época— utilizan los escritores protagonistas femeninas con el fin de señalarle a su público las pautas regeneradoras que pudieran orientarla hacia patrones tradicionales de conducta y de pensamiento. La presencia de la mujer en la literatura, y concretamente la imagen de la Mujer Virtuosa es, por tanto, totalmente ejemplarizante. Que la imagen de la Mujer Virtuosa es, entre todos los personajes, la más propicia para un esquema regenerador se puede comprender si se tiene en cuenta el sentido y reverencia que el pueblo español ha prestado, a través de su larga historia, al concepto bíblico de la Virgen María, otorgándole al mito un importante significado conceptual.

Es a la mujer lectora a quien se le atribuye la responsabilidad de renovar moralmente a España. Esta responsabilidad conduce a los escritores a tomar dos posturas frente a la mujer, aparentemente contradictorias. La primera consiste en hacer ver a la mujer que es ella la culpable de la decadencia de su país, como resultado de su propia inmoralidad. La condición pecaminosa de la mujer, señalan los escritores, se debe a su gusto desproporcionado por cosas materiales, especialmente aquellas relacionadas con la ropa. Esta afición de la mujer crea un distanciamiento emocional y físico entre ella y sus funciones tradicionales en el hogar. El vacío espiritual que resulta de esta situación conduce al hombre hacia el ateísmo y otras actividades ajenas a un estado armónico social. La mujer, por tanto, necesita asumir la responsabilidad de su propio estado de corrupción, así como también del estado de crisis en que se encuentra la sociedad. Una vez que ella se haya visto obligada a corregir el daño causado a los otros podrá entonces desempeñar su función de guía espiritual de España.

Como se puede ver, el argumento principal con que se le confronta a la mujer lectora es el mismo argumento de la Iglesia contra el materialismo mencionado en la Introducción. Acusan los escritores a la mujer de concurrir demasiado a lugares públicos estimulada por el lujo y el deseo de lucirlo. Se culpa al lujo el que la mujer se vaya alejando de las necesidades de los hijos y del hogar. Se culpa también al lujo el que la mujer haya perdido su capacidad de sentir: mal irremediable para muchos escritores, ya que sólo a través del amor puede la mujer desempeñar la misión de su vida.

La crítica al lujo por los moralistas de la mujer está definida, sin embargo, por una cierta hipocresía de parte de los escritores. Mientras que por un lado se condena el lujo de la mujer por ser «una de las utilidades más necias, más vacías, más dolorosamente ridículas que se ha producido»[6] —nótese el uso de la palabra «utilidad»—, por otro lado no sólo se le acepta sino que se estimula su uso. Se alienta a la mujer en el ejercicio del lujo debido a los beneficios económicos que engendra esta actividad, no sólo para unos pocos individuos, sino también a nivel nacional, a través del fomento de industrias nacionales. En las tertulias del «ordinario de Medina», en la novela *Lo prohibido*, Benito Pérez Galdós señala el caso específico de un grupo de hombres enriquecidos por la ambición del lujo de otros, especialmente de las mujeres. Entre estos personajes se encuentran Torres, metido en tratos de préstamos menudos: Medina, prestamista hipotecario de algunas casas grandes; Arnaiz, patriarca del comercio (de telas) de Madrid; Trujillo, expertísimo banquero y Torquemada. Escribe Galdós:

> Las descueraban entre los dos [refiriéndose a Torquemada y a Torres]. Hacían pingües negocios facilitando dinero secretamente a las señoras que gastan más de lo que les dan sus maridos para trapos; y con la amenaza del escándalo, las desplumaban. Bien relacionado el tal Torres con muchos tenderos de Madrid, se hacía cargo mediante

[6] Patrocinio de Biedma: «La dama del gran mundo», *Las mujeres españolas, americanas y lusitanas* (Barcelona, Ed. de Juan Pons, 1881), p. 22.

> una prima del 50 por 100 de realizar los créditos incobrables. El apandaba las cuentas que habían ido 100 veces a casa del deudor, encontrándose siempre con cara de palo, y previo el endorso del crédito en virtud de una ficción legal en que él [Torres] pasaba por *inglés* del tendero, se ponía en combinación con Torquemada, que era curial y tocaba pito en todos los juzgados, y apretando a la víctima con citaciones y embargos, por fin la hacían vomitar en conjunto o a plazos lo que le debía[7].

El uso que se le dio a la moda femenina demuestra claramente la contradicción inherente en la moral burguesa relacionada al lujo de la mujer. Entre figurines y patrones de las revistas de modas y salones, se encuentra una variedad de cuentos, novelas y ensayos condenando el uso de los mismos productos lujosamente desplegados en estas publicaciones. Se menciona en estas obras que la moda es un motivo de infortunio personal para la mujer y uno de los elementos que más contribuye a la destrucción de la armonía conyugal. Se le considera el «monstruo de siete cabezas que devora a la sociedad moderna... Ella [la moda] es la reina del mundo y el Dios del siglo»[8]. El mismo Galdós comparte esta preocupación burguesa alrededor de la cual escribe toda una novela, *La de Bringas*. Refleja la novela el proceso de decadencia moral de la protagonista, Rosalía de Bringas, lograda por su «pasión trapista» o la «pasión mujeril, que hace en el mundo más estragos que las revoluciones»[9]. La pasión de Rosalía, por la ropa, tendrá consecuencias negativas no sólo en la vida de la protagonista, sino también en el funcionamiento del hogar del bueno de don Francisco de Bringas.

No todos los escritores critican abiertamente el gusto de la mujer por la moda. Muchos de ellos estimulan a la mujer al consumo de telas. Algunos hasta llegan al extremo de señalarle a la mujer lectora la obligación que ésta tiene de consumir prendas de vestir y artículos de belleza, especialmente si éstos se originan en

---

[7] BENITO PÉREZ GALDÓS: *Lo prohibido. Obras completas* (Madrid, Aguilar, 1970), p. 338.

[8] Anón.: *La Guirnalda* (Madrid, 20 de febrero de 1877), X, n.º 4, p. 29.

[9] GALDÓS: *La de Bringas. Obras Completas* (Madrid, Aguilar, 1970), p. 38.

Francia. Recurren algunos escritores a referencias bíblicas o religiosas para invitar a la mujer al consumo de modas y objetos de belleza. «Santo Tomás», leemos en un ensayo publicado en *El Museo de las Familias* en 1844, dijo que en las cosas exteriores que usa el hombre no hay vicio»[10]. Se le recuerda a la mujer que una de las necesidades humanas que mayor atención requiere es la de agradar a otros. La moda es una virtud, según estos escritores, «un instinto del alma» tan noble como el que más.

Según los escritores, la mujer que se aparta de la moda se presta a varios peligros. La mujer soltera corre el riesgo inminente de quedarse sin marido. La mujer casada necesita de la moda para retener la atención y el cariño del esposo. De no hacerlo así, se lee en el *Periódico de las Damas*, no pueden las mujeres quejarse del adulterio cometido por el esposo infiel.

> No duden ustedes, señoras, que si para muchas es el matrimonio el sepulcro del amor, y el principio de conexiones ilegítimas y perturbadoras de la paz conyugal, se debe en gran parte al desorden y abandono que hacen las mujeres de sí mismas, con respecto al hombre a quien han asegurado ya bajo su yugo. Vienen a ser manera de las actrices, que después de haber presentado sobre la escena el papel más lisonjero que les ha podido inspirar el deseo de parecer bien, suelen causar tedio en sus casas. ¿Y extrañarán ustedes, que este voraz e insaciable animal del hombre, vaya a buscar en otros teatros los objetos que le enamoraron en otro tiempo, y de que ustedes al presente le privan? [11].

Aún las viudas y las ancianas no escapan del intento de integrar a la mujer en un programa de consumo de telas y artículos de belleza. Las viudas necesitan de la moda para hacerse respetar de los hijos y de los criados. Las ancianas que hacen un buen uso

---

[10] J. Q.: «Estudios morales. La moda», *El Museo de las Familias* (Madrid, 25 de diciembre de 1844), p. 289.

[11] Anón.: «Sobre el deseo de agradar y parecer bien a las mujeres», *Periódico de las Damas* (Madrid, 1822), n.º 3, pp. 10-11.

de la moda no serán rechazadas por la sociedad a causa de sus arrugas.

En poquísimas circunstancias se refieren los escritos a las razones fundamentales por las cuales se estimula a la mujer al consumo de esta mercadería. Las ventajas económicas producidas a través del consumerismo encuentran sólo ecos dispersos en la literatura burguesa. En éstos, piden los autores que no se condene el uso de las modas por el peligro económico que podría surgir, a nivel nacional, de no patrocinarse su consumo.

> La moda es un elemento de vida en las naciones, un manantial de riqueza y prosperidad. Un principio de economía política, de grandes y muy atendibles consecuencias... Si el hombre desterrase la moda, las naciones se hundirían consumidas por una miseria espantosa, pues al menos dos terceras partes de sus individuos viven y se enriquecen de la moda[12].

Un estudio cuidadoso de los argumentos basados en si la mujer debe, o no, vestirse «a la moda», demuestra un punto esencial adicional. La importancia de este aspecto radica en el deseo de la burguesía de mantener separadas a las distintas clases sociales. Incitan los escritores a que la mujer lectora rechace toda idea de una posible mobilidad vertical que pudiera haber asimilado a través del falso criterio de la igualdad a través de la moda. Indican los escritores que el vestirse igual a otra mujer no significa ser igual que otra mujer. De olvidarse la mujer de este precepto cae inevitablemente en la inmoralidad:

> El esceso vicioso, pues, estará en usar aquellas cosas que exceden el estado de cada uno, y los bienes con que cuente: y las causas de este vicio moral son el orgullo, el

[12] Anón.: «La moda en sus relaciones con la política», *Museo de las Familias* (25 de octubre de 1845), n.º 3, p. 233. Sólo tres ensayos hemos podido encontrar que expresen abiertamente este concepto. Además de éste, se encuentra el ensayo firmado por J. Q. mencionado en la nota número 10 de este capítulo. El tercero fue publicado en el *Periódico de las Damas*, n.º 2, 1822, en las pp. 1-18.

deseo de parecer en la sociedad más de lo que realmente somos, el afán de confundirse de clases, para obtener las mismas ventajas[13].

La falta de moralidad en la mujer es, para los escritores, el resultado de su «mala educación». Por «mala educación» se entiende, en este contexto, el desarrollo de facultades sociales y morales basadas en ideas materialistas. Responsabilizan a la sociedad entera del tipo de educación que recibe la mujer. Condenan, por ejemplo, a los padres de las jóvenes doncellas que le brindan a sus hijas una educación de adorno. «El decantado progreso de la instrucción que se da hoy a la mujer», lamenta Angela Grassi, directora del periódico *Correo de la Moda*, «estimula a la mujer a ser la reina de los festines, su vanidad y [a] poner en juego sus bajas pasiones»[14]. Camila Avilés considera que la educación de la mujer es una educación «de invernadero». A través de ella se educa a la juventud femenina del mismo modo que a las camelias, dándoles un «brillo superior al del más primoroso esmalte». Este tipo de educación es responsable de que «las niñas crezcan, luzcan y se casen... aunque se marchiten luego»[15]. Demandan los escritores que a cambio de una educación basada en el lujo y en el materialismo, se le brinde a la mujer, y especialmente a la joven doncella, un tipo de educación que abra sus corazones a la piedad y al sentimiento.

La educación mal dirigida es, para los moralistas, fuente de los tres peores enemigos de la mujer: el egoísmo, la imaginación y el amor-pasión. Por egoísmo se entiende el atributo moral que hace que una mujer viva para sí misma y no para otros. Las mujeres egoístas son especialmente aquellas que se dedican exclusivamente al consumo de las modas, a la vida en sociedad y al trabajo fuera de casa. En otras palabras, por mujeres «egoístas» se refieren los escritores a las mujeres cuyas actividades no giran alrededor del hogar.

---

[13] J. Q.: p. 290.

[14] Angela Grassi: «Lo que son las madres», *Correo de la Moda* (Madrid, 18 de octubre de 1872), año XXII, n.º 39, p. 306.

[15] Camila Avilés: «La primera arruga y el primer diente», *Correo de la Moda* (Madrid, 31 de enero de 1867), año XVII, n.º 31, p. 242.

La imaginación, consecuencia de la mala educación de la mujer, es el segundo enemigo de la moral femenina. Esta, conjuntamente con el egoísmo, incita a la mujer a salirse de patrones tradicionales en busca de nuevas experiencias. Es también la imaginación responsable de que la mujer adquiera ideas equivocadas de la realidad: la impulsa a que busque por marido un ideal romántico, inapropiado a su vida cotidiana, o que adopte una actitud hacia el amor basada en afectos exagerados.

El amor «exagerado» o «desmedido» al que se refieren los escritores es el amor-pasión. Definen al amor de esa manera debido al deseo «exagerado» de satisfacer físicamente el amor. La actitud represiva de los moralistas frente al tema de la sexualidad se manifiesta, sin embargo, en el ataque orientado casi exclusivamente a la sexualidad de la mujer. Utilizan el tema de la insaciabilidad-sexual-de-la-mujer como arma de combate y con ella se lanzan a contrarrestar el «desbordante» apetito sexual de la mujer. Para empezar, se le confronta a la lectora con la idea de que el amor verdadero entre el hombre y la mujer es incompatible con el sexo, y que la felicidad conyugal no radica en la posesión física del uno por el otro, sino en el cumplimiento sagrado de los deberes del hogar. En *La esposa mártir* leemos: «Las mujeres cuando aman verdaderamente, excluyen de su amor la sensualidad material, y absorben, avaras, la sensualidad del alma»[16]. Se le recuerda asimismo a la mujer que la posesión por parte del hombre es la manera más rápida y eficaz de que el hombre deje de amarla. En un ensayo titulado, «Lecho matrimonial», se trata de convencer a las lectoras de las consecuencias negativas en la mujer que se entrega activamente a una relación sexual con su marido:

> Nada hay más opuesto al amor que la posesión, y cuando al hombre no le queda nada que poseer de su objeto, es forzoso que deje de amarle...[17].

añadiendo más adelante el escritor:

---

[16] PÉREZ ESCRICH: *La esposa mártir*, vol. I, p. 473.

[17] Anón.: «Lecho matrimonial», *Periódico de las Damas* (Madrid, 1822), n.º 8, p. 7.

> Aquel amor que por lo común liga los matrimonios, no es el mismo amor que los hace felices y que los conserva unidos. Digo más: esta pasión es casi incompatible con el amor conyugal. «La idea —dice una dama muy experimentada y muy instruida— de que el amor es necesario para que un matrimonio sea feliz, es un error: la honestidad, la virtud, cierta conformidad en los caracteres y genialidad, más bien que en la gerarquía y en las edades, basta para estar bien dos esposos. Esta diferencia no impide, que haya entre ellos un tierno afecto, que aunque no sea precisamente amor, no es menos dulce, y siempre más durable[18].

Es evidente que estas palabras sirven de eco a aquellas otras escritas en el siglo XVI y que también estaban orientadas a guiar a la mujer dentro de un marco desprovisto de sexualidad: *Instrucción de la mujer cristiana.* Para Vives la castidad es el único elemento positivo en la mujer, ya que sólo a través de ella puede la mujer conseguir una vida honesta y virtuosa. La sexualidad representa para Vives el pecado, aquel elemento que destruye lo mejor de la mujer:

> Cuán vana, cuán bestial cosa es el placer del cuerpo por el cual no se debería mover un dedo de la mano, cuando más perder el mayor y más preciado bien que se pueda hallar en la mujer[19].

Aún la mujer casada necesita, según Vives, mantener una actitud de castidad, expresada en una actitud de vergüenza y de pasividad en el acto sexual.

Aunque la sexualidad femenina es foco de muchos y violentos ataques, existen muy pocas referencias directas en la literatura burguesa de consumo sobre los deseos o actividades sexuales por parte de la mujer. Los únicos ejemplos hallados se relacionan a

---

[18] *Ibid.*, p. 10.

[19] LUIS VIVES: *Instrucción de la mujer cristiana* (Madrid, Signo, 1936), p. 24. Véanse especialmente los capítulos VI y VII sobre la virginidad en las doncellas.

mujeres de clases sociales inferiores, como en el caso de Luisa, soltera y pobre, quien pierde su virginidad en brazos del galante Conde de Santurce:

> El conde aprovechó la oportunidad [del amor de Luisa]. Era joven, galante y audaz, y Luisa, tierna y enamorada, y la consecuencia fue que se adurmió en los brazos de su amante, y cuando despertó, el ángel de la pureza se había alejado de la joven derramando lágrimas de un dolor infinito[20].

o de la sirvienta Marta, en la novela de Fernández y González, *Luisa*:

> Todos los gérmenes de pasión de voluptuosidad, que existían innatos en la vigorosa organización de aquella virgen de 32 años se habían puesto en acción; se habían fecundado: la chispa eléctrica había prendido en el árbol[21].

En la novela de Ayguals de Izco, *María, la hija del jornalero*, se encuentra el único caso en que una protagonista virtuosa despliega emociones eróticas... frente al retrato del amado:

> La fiebre que la devoraba [a María] avivaba el carmín de sus graciosos labios, sonrosaba la frescura de sus virginales mejillas, y hacía chispear sus negros y raspeados ojos, que fijaba luego sonriéndose dulcemente en el retrato de su amante. Estrechóle contra su palpitante corazón y llevóle temblorosa a sus ardientes labios. En este momento sintió estremecerse todo su cuerpo, y un desmayo delicioso sucedió a la anterior animación. Sintióse como rendida y tendióse en la mullida cama con la mente llena de dulcísimas ilusiones[22].

[20] RAFAEL DEL CASTILLO: «Amor-fraternal», *La mujer-amor* (Barcelona, Molinos, hermanos, editores, 1881), p. 564.

[21] MANUEL FERNÁNDEZ Y GONZÁLEZ: *Luisa o El ángel de la redención* (Madrid, don Miguel Prats, editor, 1859), vol. II, p. 212.

[22] AYGUALS DE IZCO: *María, la hija del jornalero*, vol. I, p. 265.

Al final de la novela, las emociones sensuales de la protagonista se han atenuado, dándonos Izco en su lugar una versión sublimada de la primera noche de luna de miel de los amantes. Nótese el predominio en esta descripción de adjetivos cuyo propósito es el de minimizar el elemento erótico de la primera noche de luna de miel.

> Enlazó don Luis su brazo por la delgadísima cintura de su esposa, y en esta amorosa posición se dirigieron ambos maquinalmente al dormitorio blanco... Abrió Luis la puerta, y la candorosa virgen sintió un estremecimiento indefinible al ver el lecho nupcial. Pocos momentos después resonaban en aquel recinto de celestial pureza, a manera de suave murmullo de las flores mecidas por las brisas de la aurora, los suspiros de amor que se confundían con los melodiosos trinos de un canario[23].

La inmoralidad basada en la sexualidad femenina y la ilegitimidad de los hijos se manifiesta, según los escritores, en el aumento exhorbitante de casos adulterinos iniciados, en la mayoría de los casos, por la mujer. Novelas, cuentos, ensayos y una infinidad de artículos fueron escritos con el propósito de «contrarrestar» este mal que empezaba a invadir la sociedad española. Galdós mismo, en un artículo titulado «Observaciones sobre la novela contemporánea en España», considera el adulterio como una de las constantes preocupaciones en la estructura familiar, «... se observan con pavor los estragos del vicio esencialmente desorganizador de la familia, el adulterio»[24]. Pérez Escrich en su novela, *La mujer adúltera*, indica que el propósito que lo movió a escribir esta obra era el de «corregir ese vicio [el adulterio] que tanto lastima a la sociedad y tantos disgustos y quebrantos proporciona a las familias»[25]. A la mujer adúltera la llama «prosti-

---

[23] *Ibrid.*, vol. II, p. 348.

[24] BENITO PÉREZ GALDÓS: «Observaciones sobre la novela contemporánea en España», *Revista de España* (Madrid, 1870), año XI, n.º 57, p. 167.

[25] ENRIQUE PÉREZ ESCRICH: *La mujer adúltera*, tomo II, p. 433.

tuta sin corazón»[26], y a la actividad adulterina, «el delito más asqueroso de la mujer»[27]. En *La España Moderna* se encuentra todo un poema de cinco páginas dedicado exclusivamente a condenar el adulterio cometido por la mujer. Los dos primeros versos dan una idea del contenido del poema:

«Adúltera»

¡Oh vértigo fatal, delirio infausto,
abominable acción, locura horrenda...[28].

Teniendo en cuenta la actitud burguesa frente a la sexualidad de la mujer, no deja de presentar un aspecto interesante un aparente síntoma de homosexualidad que se encuentra ocasionalmente en la literatura. En la novela *Luisa*, en la que tan abiertamente se predica la asexualidad de la mujer y las consecuencias destructivas de mantener ésta una posición contraria, encontramos una relación erótica bien marcada entre la protagonista y su hermanastra, Antonia. Después del primer encuentro entre las dos hermanas, recuerda Luisa los momentos en que encuentra a su hermana descansando en una cama del hospital donde aquélla trabaja como voluntaria:

> Y luego, cuando en su necesidad de expansión, Antonia, por un movimiento involuntario, se ha incorporado en su lecho, me ha mirado de hito en hito, con una mirada impregnada de ternura, y ha asido mi cabeza y me ha besado en la boca, he sentido... yo no puedo explicarme lo que he sentido; pero me parece que me he duplicado, que vivo en Antonia y que ella vive en mí. Sólo puedo explicarme este fenómeno por la necesidad voraz que tengo de un afecto puro: sólo suponiendo otra necesidad semejante puedo explicarme el beso de Antonia[29].

[26] *Ibid.*, p. 218.

[27] *Ibid.*, p. 217.

[28] MIGUEL PLÁCIDO PEÑA: «Adúltera», *La España Moderna* (Madrid, mayo de 1891), año III, n.º XXIX, pp. 34-38.

[29] FERNÁNDEZ Y GONZÁLEZ: *Luisa o El ángel de la redención*, vol. I, p. 49.

Rompe el narrador el monólogo interior de Luisa para señalar que Luisa termina llevando a Antonia a su casa para que se recupere. Una vez en su casa, la desnuda y la acuesta en su propia cama, terminando la bella Antonia restableciéndose del todo[30].

En el *Correo de la Moda*, entre rimas de prosa moralista y figurines de moda, se encuentra un poema de Antonio Arnao, titulado, «El adolescente». En este poema, el muchacho que inspira la pluma del escritor comparte ciertas semejanzas con Tadrio, el hermoso mancebo de la magnífica novela de Thomas Mann, *La muerte en Venecia.* Nótese la actitud de contemplación del poeta ante la belleza masculina en contraste con su postura frente a la mujer:

«El adolescente»

¡Oh! ¿No le véis? ¡cuán hermoso!
¡Cuán hermoso está el mancebo!
La aurora baña su frente
con purísimos reflejos;
Sus guedejas de oro fino
flotan a merced del viento;
sus ojos que fe respiran
son del azul de los cielos...
Por vez primera en su alma
arde del amor el fuego;
sus mejillas lo publican
publícanlo sus lamentos.
¡Oh! ¡Cuán hermoso es su rostro!
Parece un ángel, ¿no es cierto?

Niñas, niñas inocentes
que buscáis amor sincero,
amadle, pues no es del mundo
la llama que arde en su seno.
Como ese sol se remonta
a inflamar el firmamento,
el sol de la adolescencia

[30] *Ibid.*, p. 56.

le inflama en divino fuego.
Rico de luz, a sus ojos
brilla un horizonte inmenso:
su corazón lleva el germen
de lo grande y de lo bello.
¿Cuál será la venturosa
que gane su amor primero?

Entrando va por la vida
como en un vergel risueño
por la pureza alumbrado,
de blancas rosas cubierto.
Ya las pasiones se aprestan

a mancharle con su aliento:
id vosotras, dulces niñas,
y sed sus ángeles buenos.
¡Dichosa la que le entregue
su corazón puro y tierno!
¡Un amor como el de un ángel
llevará la hermosa en premio!

¡Ah!, ¡como dulce su rostro
es generoso su pecho![31].

Ante este mancebo idílico invoca el poeta la presencia de la mujer inocente como medio de salvación de las impurezas de la pasión: salvación a través de la entrega de la mujer pura y buena (!).

Las consecuencias de la «mala educación» son funestas en la mujer. Por toda la literatura burguesa se encuentran ejemplos de consecuencias «naturales» —proyectadas a manera de castigo— en la vida de aquellas mujeres carentes de una «buena educación». Entre éstas se encuentran la soledad, el abandono, la fealdad, enfermedades incurables y la muerte. El fallecimiento de los hijos es uno de los castigos más populares para las madres «desnaturalizadas». En un cuento titulado «La primera arruga y el primer diente», la hija de una «mujer de sociedad» está a punto

[31] ANTONIO ARNAO: «El Adolescente», *Correo de la Moda* (Madrid, 24 de noviembre de 1856), año VI, n.º 187, p. 370.

de morir debido a la falta de cuidado de su madre. La muerte de la hija se evita a tiempo gracias a la conversión de la madre a una vida virtuosa[32]. En una «novela corta» de Angela Grassi, la muerte de Enriqueta es el resultado de su vida egoísta. Antes de morir, sin embargo, la abandona el marido, después de rechazarla por una bailarina de «segunda clase». Uno de sus hijos muere en un desafío, y otro —para vergüenza de toda la familia— hace un matrimonio fuera de su clase, casándose con una «muchachuela del pueblo». La que había vivido en riquezas y ostentación, anota la escritora, muere sola y abandonada por todos[33].

Como se puede ver, la mujer «mal educada» es aquella que ha rechazado el papel tradicional asignado a la mujer basado en la obediencia, la resignación y la castidad. Sobre la mujer, por ejemplo, que por razones de orgullo, amor al lujo, o pasión, comete actos de infidelidad, recaen las más grandes humillaciones, cristalizadas en la soledad. En *La mujer adúltera* se lee: «Cuadro horrible, espantoso, cruel, es el de la mujer culpable en el último período de su ancianidad»[34]. El adulterio de esta antagonista provoca la muerte de su abuelo, la locura de su padre y una vida de angustias para el virtuoso marido, Angel Gurrea. El infortunio de Angel desaparece cuando conoce a la virtuosa Rosa, protagonista de la próxima novela del autor, *La esposa mártir*.

Un análisis cuidadoso de muchos de estos casos señala, sin embargo, que el aspecto de la «mala educación» a la que se refieren los escritores está muchas veces vinculado al deseo, por parte de las mujeres no virtuosas, de romper con las rígidas barreras de clase. Con el pretexto del «egoísmo» o de la «infidelidad» de la mujer se esconde la verdadera razón que impulsa a los escritores a condenar la vida de estos personajes: la manutención del status-quo a expensas de las clases menos privilegiadas. Un ejemplo de esto lo encontramos en el caso de Albina, antagonista de un cuento titulado «Amor y gloria». A primera vista, el pecado cometido por la hermosa doncella parecería estar vinculado

[32] AVILÉS: p. 30.

[33] ANGELA GRASSI: «Ernestina», *Correo de la Moda* (Madrid, 2 de febrero de 1872), año XXII, n.º 5, p. 39.

[34] PÉREZ ESCRICH: *La mujer adúltera*, vol. II, pp. 116-117.

al deseo de romper con los roles tradicionales impuestos a su sexo por la sociedad al querer salir de su pueblo, en busca de fama y gloria, como poeta. El resultado de esta experiencia fue desastroso para la desafortunada muchacha. Llena de tristeza y desilusión regresa Albina a su pueblo natal prometiéndose no volver a escribir nunca más. El fracaso de la muchacha, no obstante, no se debió a su falta de talento como poeta. Al contrario: obtuvo grandes éxitos entre la crítica y el público que estuvieron en contacto con ella. El fracaso de Albina, y la razón de su retorno desgraciado a su pueblo, se debieron al desengaño de una relación amorosa entre la muchacha y un hombre de la nobleza. Enterado éste de la condición social inferior de Albina, rechaza su cariño y la abandona. De vuelta a su pueblo, escribe Albina su último poema:

«Ultimo Canto»

¡Quitadme, oh Cielos, mi inspirada lira!
Apagad en mi mente el sacro fuego
y volved a mi pecho, que suspira,
su ya perdido terrenal sosiego!

Qué me importa que voces mil resuenen
en torno mío a celebrar mi canto,
si ya dulzura para tí no tienen
los tristes ecos de mi triste llanto.

Hubo un día feliz en que soñaba
a tu lado pulsar lira armoniosa,
y mi frente que el lauro coronaba
alzábase entre todos orgullosa.

Abrasándose el alma en puro anhelo
al brillo fiel de tu mirada ardiente,
alas daba a mi amor que en raudo vuelo
por tí vertía inspiración ferviente.

Y al mirar en tus labios la sonrisa
vagando dulce al celebrar mi canto
no trocara, feliz la poetisa,
su pobre lira por el regio manto.

¡Su lira...!, ¡cruel dolor! De grato sueño
hoy despierta, y tan sólo ve en su mano
con roncas cuerdas enlutado leño
y secas hojas de laurel mundano...!

De laurel que algún día codiciosa,
mientras en tu vista inspiración bebía,
para ceñir tus sienes amorosa
hoja con hoja con ardor tejía.

Mas, ¡ay!, que sueño fue, sueño y locura,
de mi exaltada mente desvarío:
buscar quiero otra gloria... otra ventura...
¡cese, cese por siempre el canto mío...![35].

El amor «insensato» entre la hija del marqués de C. y un hombre de clase inferior es otro ejemplo de los prejuicios de clase en que se basan muchos de los casos de las antagonistas. El resultado de este amor insensato es la muerte de la muchacha en el cuento de F. de P. Mellado y cuyo título es, irónicamente, «La Sonámbula»[36]. Magdalena, antagonista en una «novela original» de Eduarda Feijóo y de Mendoza, se presenta ante el lector en un proceso de autodestrucción cuyas raíces se remontan a una educación «malvada». Hija de un comerciante rico salmantino, Magdalena se educó en uno de los mejores y más caros colegios de Francia. A su regreso a Salamanca se encuentra la bella joven con mucha dificultad para poder asimilarse otra vez a las costumbres y mores de su pueblo nativo. La educación extranjera recibida en Francia hace que la vida de Magdalena en España sea una vida llena de infortunio y de pesadumbre. Al final de la novela, lamentando su «mala educación», exclama la infeliz muchacha:

> No es posible explicar lo que a mí me sonrojaba el ser hija de un comerciante, y todos mis millones los hubiese

---

[35] BLANCA DE GASSÓ Y ORTIZ: «Amor y gloria», *Correo de la Moda* (Madrid, 18 de agosto de 1872), año XXII, n.º 31, p. 242.

[36] F. DE P. MELLADO: «La Sonámbula», *Museo de las Familias* (Madrid, 25 de enero de 1845), tomo III, p. 2.

> cambiado por algunos rancios pergaminos: el mal sistema de mi educación hacía que me avergonzase de mi clase, pues acostumbrada a tanta elegancia, no podía tolerar el saber que en mi casa, lo mismo se vendía una pieza de terciopelo, que una vara de encaje[37].

El verdadero delito cometido por Magdalena no es precisamente el de haber recibido una «mala educación» en el extranjero. El «vicio» de la antagonista radica en las ideas liberales que la educación en Francia había implantado en la mente de la muchacha haciéndole creer en la posibilidad de una movilidad vertical.

Es concretamente contra estos males «materialistas» que se levanta la imagen de la Mujer Virtuosa, sólidamente arraigada en un código moral cuya base está compuesta de una serie de virtudes y preceptos sociales y pseudoreligiosos orientados a la sumisión, obediencia y resignación ante Dios y el status-quo vigente.

---

[37] EDUARDA FEIJÓO Y DE MENDOZA: «El antifaz de terciopelo», *Correo de la Moda* (Madrid, 2 de agosto de 1872), año XXII, n.º 29, p. 230.

4. La «Mujer Virtuosa»

¿Quién es ella?

Ella es hermosa como la aurora que sonríe, casta como el beso de una madre, noble más que todas las ejecutorias de España, dulce y apacible como un cielo sin nubes.

¿Cómo se llama?

Se llama virtud.

Severo Catalina: *La Mujer. Apuntes para un libro*. (Madrid, Imprenta de Luis García, 1858), p. 357.

Es fácil de reconocer la imagen de la Mujer Virtuosa en la literatura burguesa de consumo, escrita entre los años de 1840 a 1880. Es de carácter unidimensional: su condición de tipo no permite una delineación muy individualizada. Es un personaje estático: no cree, no cambia, ante el lector. La falta de un nivel psicológico permite que sólo sea vista desde fuera. El lector no sabe lo que piensa, ni mucho menos las consecuencias emocionales o mentales de sus acciones. Los móviles que la impulsan a la acción o inacción están regidos por principios morales preestablecidos que la protagonista sigue mecánicamente, sin el menor vestigio de incertidumbre o vacilación. El papel del narrador omnisciente llega a un extremo con la imagen de la Mujer Virtuosa, no sólo porque sabe todo lo que pasa, sino también porque se toma la libertad de interrumpir la narración para darle al lector señales, indicaciones concernientes a su protagonista, sermones deplorando la condición moral de la sociedad, entre otras cosas.

La Mujer Virtuosa, siguiendo la influencia romántica en la literatura de consumo, es bella y es joven. Fluctúa entre los 15 y los 20 años. Si por razones de verosimilitud requiere el personaje más edad, mantiene, no obstante, su apariencia juvenil. La virtuosa Baronesa de XXX en la novela de Ayguals de Izco, *María, la hija de un jornalero*, tiene 25 años, «pero —escribe Ayguals— su rostro angelical conservaba toda la lozanía que ostenta una joven candorosa en sus 15 primaveras»[1].

La belleza es perfecta y total —dentro del concepto de la época—. Su cuerpo va cubierto de las mejores y más costosas prendas, pero sin ostentación. Son sus ropas generalmente del mejor corte y de una calidad indiscutible, aunque sencillas. El peinado también es elegante y sencillo. En los casos en que la condición socio-económica de la Mujer Virtuosa no le permite mantener el lujo de sus hermanas virtuosas adineradas, se viste dentro de lo que es factible en su condición, pero siempre manteniendo la forma, el decoro.

La belleza física en la imagen de la Mujer Virtuosa es la manifestación externa de su condición moral. Las descripciones externas van siempre acompañadas de adjetivos que denotan el estado espiritual de la persona. En un cuento titulado «Juanita. Un sueño», su autora, Micaela de Silva, describe a la protagonista en los siguientes términos. Los ojos hermosos de la doncella virtuosa reflejan inocencia y virtud; su boca de coral, una dulce sonrisa; su talle esbelto y su traje blanco recuerdan a un ángel bajado del cielo. Termina la escritora con las siguientes palabras: «El ramo de violetas que ostentaba en su seno, no había sido jamás agitado por el tibio hábito de un soñado deseo, y simboliza en toda su pureza la más seductora modestia»[2]. En aquellos casos en que la mujer no se distingue por su belleza, sobresale en ella la belleza del alma.

El mundo que habita la Mujer Virtuosa es, en la mayoría de los casos, un mundo burgués. Parte de su existencia gira alrede-

---

[1] AYGUALS DE IZCO: *María*, tomo I, p. 311.

[2] MICAELA DE SILVA: «La hermosura del alma», *Correo de la Moda* (Madrid, 16 de agosto de 1866), año XVI, n.º 654, p. 238.

dor de valores burgueses: de preocupaciones mundanas, como la ropa; éticas, como la honra y religiosas, como la caridad. Su carácter sentimental se proyecta a través de la manifestación, obvia, de tales emociones como la tristeza y el sufrimiento.

El nivel afectivo del personaje carece también de profundidad. La falta de conocimiento, por parte del lector, de la dimensión psicológica del personaje contribuye a que los sentimientos expresados por la Mujer Virtuosa sean concebidos como algo mecánico. El elemento de inevitabilidad que acompaña a estos sentimientos añade aún más al aspecto «mecanizado» de las emociones de la protagonista. Las lágrimas que la distinguen pueden fácilmente predecirse en situaciones particulares, por ejemplo. Sabe el lector de antemano que en momentos X, Y o Z, la Mujer Virtuosa sentirá A, B o C.

La actitud ejemplarizante de los Costumbristas que hizo que sus obras literarias se convirtieran en una galería de tipos es adoptada y llevada a extremos por los escritores de obras de consumo. Mientras que los Costumbristas representan lo típico basado en la realidad —quién no puede identificar los diferentes tipos tan fielmente descritos en los artículos publicados en *Los españoles pintados por sí mismos*—[3], los otros escritores describen lo típico como representación de una moralidad vigente: lo abstracto sobre lo abstracto. De ahí que sería una tarea ardua, o imposible, el tratar de localizar en la sociedad madrileña del siglo XIX a un ser que se aproxime a la siguiente descripción de la Mujer Virtuosa:

> La mujer, la más buena, dulce y compasiva: sobre todo la mujer de buenas costumbres, de vida uniforme, de órganos puros, vírgenes a pesar del tiempo, cuya vida es sufrir, cuya misión es amar y cuyo deleite es abnegación[4].

El adjetivo «virtuosa» que acompaña a la protagonista deriva de la relación estrecha que existe entre las virtudes que rodean

---

[3] *Los españoles pintados por sí mismos* (Madrid, Editorial Libra, S. A., 1971). Obra colectiva publicada en 1843 por el editor Boix en Madrid. La segunda edición fue hecha en 1851 por Gaspar y Roig.

[4] UBALDO R. QUIÑONES: *La educación moral de la mujer* (Madrid, Alvarez Hermanos, 1877), p. 152.

a este personaje y las virtudes del dogma católico. Tomando esto en cuenta, la Mujer Virtuosa despliega una íntima conexión con los intereses religiosos de la época. En la prensa católica, por ejemplo, se le recuerda a la mujer que la condición privilegiada en que se encuentra, especialmente si considera la vida que las mujeres han llevado hasta este momento, se debe a los esfuerzos de la Iglesia. Fue gracias a Cristo, señalan los escritores, y a la Virgen María, que la mujer pudo romper con la esclavitud, calmándola desde entonces en sus sufrimientos y consolándola en sus aflicciones. A partir de entonces, la mujer empieza a desarrollarse, espiritualizándose.

La Mujer Virtuosa comparte con la Virgen María una serie de cualidades físico-morales. Es la primera un ser casto, inocente, melancólico, triste. Irradia dulzura. Inspira un amor puro en el hombre. En las descripciones que de ella hacen los varios autores prevalece el color blanco. Se le compara a la nieve, a palomas blancas. En el poema siguiente vemos una de las descripciones de la Mujer Virtuosa que con más frecuencia surge:

«Luisa»

Hermosa como la imagen
de la célica esperanza
pura como una virgen
la fervorosa plegaria.

Inocente como el beso
de las ondas y las auras,
amorosa como el canto
del ruiseñor en las ramas.

Sus mejillas son de nieve,
que el fuego del sol esmalta,
blanca paloma que agita
en el espacio sus alas...[5].

---

[5] SANTOS JULIO NOMBELA: «Luisa», *Correo de la Moda* (Madrid, 24 de enero de 1856), año VI, n.º 147, p. 18.

Con el propósito de mantener su pureza intacta, la Mujer Virtuosa se mantiene alejada de todo contacto social fuera de la esfera del hogar. Vive separada de toda tentación que pueda dañar su condición virtuosa, protegiéndose de elementos dañinos o destructivos a la moral, incluyendo la educación. En los casos en que esta protección es imposible, su estado natural virtuoso le sirve como un manantial de fortaleza de donde obtiene firmeza y resistencia ante los peligros que le vienen de fuera. El alivio de sus dolores lo encuentra en su inocencia y en la fortaleza de espíritu otorgado como premio por Dios «a los que sufren»[6]. Mantiene, eso sí, una mínima concientización hacia la pobreza. Esta excepción responde a la única actividad socio-religiosa que se le permite a la Mujer Virtuosa fuera del ámbito del hogar: los actos de caridad.

Siguiendo el modelo de la Virgen María, la protagonista de las obras de consumo es un ser totalmente desprovisto de apetitos sexuales. En momentos de intimidad, sus demostraciones afectivas son expresadas en términos maternales, manifestadas en un beso casto, «como de una madre que halaga y besa a su hijo»[7]. La mantención de la castidad alrededor de la cual giran muchos de los problemas del personaje virtuoso es vista como la singular y única excelencia de la Mujer Virtuosa. Toda su energía se concentra en la mantención de su estado casto y en la seguridad de que la sociedad tenga conocimiento de su castidad.

El placer sexual que pudiera experimentar la mujer casada dentro del matrimonio está fuera de la caracterización de la Mujer Virtuosa. La unión de los amantes virtuosos se proyecta generalmente dentro de términos espirituales, como en el caso de Luisa y Andrés, de cuya relación escribe el autor:

> Unión purísima y al par deliciosa... el hombre, la mujer, haciendo un sacrificio doloroso, pueden dominarse hasta el punto de impedir, de contener, una unión material[8].

---

[6] Fernández y González: Tomo I, p. 480.

[7] *Ibid.*, tomo II, p. 622.

[8] *Ibid.*, p. 305.

La amistad se antepone a la sexualidad femenina. Frente a las pasiones eróticas que podrían embargar el alma para llenarlas después de «violentas pesadumbres»[9], se levanta la amistad. A ésta se le considera el único medio por el cual la Mujer Virtuosa puede alcanzar la felicidad y la tranquilidad en sus relaciones con el hombre y dentro del matrimonio. La amistad en este caso se define como un sentimiento dulce, un afecto tierno, que hace de la relación entre hombres y mujeres virtuosos algo profundo y duradero. Es la amistad la mayor y única expresión del amor.

La virtud fundamental, la más importante, es el amor. Es la protagonista el símbolo máximo de una religión del amor cuyas características principales, además de la amistad, son la humildad y el sufrimiento. Es el amor el que le da significado a su vida y el eslabón principal que la impulsa hacia fuera, en su misión regeneradora. Ubaldo R. Quiñones, en su libro, *La educación moral de la mujer*, señala que el propósito primordial de la mujer en la tierra reside en el sentimiento y en su capacidad para el amor. Rafael del Castillo, autor de un libro dedicado a las varias facetas del amor en la mujer —«amor-abnegación, amor-venganza, amor-fraternal, amor-caridad, amor-sentimiento, amor-maternal, amor-celoso y amor-eterno»— escribe sobre el vínculo absoluto entre la mujer y este sentimiento:

> Ama la mujer con ese amor vehemente, único, poderoso, vida de su vida, purificador de los errores de su pasado, si es que los ha tenido, o generador de levantados propósitos para el porvenir[10].

y más adelante,

> El corazón de la mujer es una fuente inagotable de sentimiento. Su corazón no podría subsistir sin el amor. Por un sentimiento que se marchita, brota otro nuevo...[11].

---

[9] A. Pirala: «Instrucción. La Amistad», *Correo de la Moda* (Madrid, 16 de octubre de 1856), año VI, n.º 182, p. 326.

[10] Rafael del Castillo: «Amor-abnegación», *La mujer-amor* (Barcelona, Molinos, Hermanos, editores, 1881), p. 5.

[11] *Ibid.*, «Amor-fraternal», p. 451.

La naturaleza y el ser divino han dotado a la mujer con una tendencia innata hacia el amor, aseguran las páginas literarias de las obras de consumo. Esta aptitud, singular y única en la mujer, hace de ella un ser moralmente extraordinario. La constitución orgánica de la mujer está íntimamente ligada a su capacidad afectiva. Muchos de los escritos están orientados a demostrar la existencia de una relación estrecha entre la constitución física de la mujer y su componente emocional. Según éstos, la característica afectiva de la mujer se manifiesta en sus diferentes funciones orgánicas y sensoriales. Las primeras se desempeñan con más rapidez, como las digestivas, las respiratorias y las relacionadas a la circulación de la sangre. El doctor Alonso y Rubio escribe sobre las funciones sensoriales:

> Las impresiones son más vivas [en la mujer que en el hombre] aunque menos duraderas; los movimientos más fáciles, aunque menos enérgicos; la sensibilidad general así como la especial, más exagerada que en el hombre.

Termina el escritor con la esperanza de que este «pequeño bosquejo» impresione en el público lector la existencia en la mujer de un organismo «rico en sentimientos» aunque de «menos energía muscular» que en el hombre[12].

La constitución física femenina afirma la superioridad espiritual de la mujer como resultado de su naturaleza sentimental. En un artículo titulado «El feminismo sin Dios», sostiene su autor, Julio Alarcón y Meléndez:

> Los caracteres anatómicos de la mujer presentan no pocas diferencias de los del hombre: el corazón femenino y el cerebro es más pequeño; hay diferencias hasta en el esqueleto [humerus, femur, radius], hasta en la composición química de sus huesos. En el hombre, por ejemplo, nos da el análisis más fosfato de cal que en la mujer, y en

---

[12] Doctor don FRANCISCO ALONSO Y RUBIO: *La mujer bajo el punto de vista filosófico, social y moral: sus deberes en relación con la familia y la sociedad* (Madrid, D. I. Gamayo, 1863), pp. 32-33.

> la mujer más carbono de cal que en el hombre... No puede ser mero accidente orgánico el ser de un sexo o de otro, sino calidad esencial del espíritu que informa el cuerpo[13].

La superioridad de la Mujer Virtuosa se limita al área afectiva. Es en este nivel donde la mujer desempeña sus funciones restablecedoras.

La superioridad sentimental de la Mujer Virtuosa complementa su condición inferior en lo que concierne a lo físico y a lo intelectual. En las ciencias, por ejemplo, no puede la mujer competir con el hombre porque carece de las facultades intelectuales para hacerlo. Tampoco puede competir en las bellas artes, porque, aunque posee las bases emocionales imprescindibles en todo acto creador, carece de la disciplina que éstas necesitan para su desarrollo. En las cosas relacionadas con el valor y la osadía no puede compararse al hombre porque es más débil. Por último, no puede aspirar a las glorias militares porque instintivamente rehusa —dada su sensibilidad— la violencia y la sangre[14].

Lo interesante de esta postura por parte de los escritores radica en su contradicción. Mientras que por un lado se glorifica la superioridad afectiva de la Mujer Virtuosa, por otro lado señalan los diferentes autores que, dada su condición de inferioridad en lo intelectual y en lo físico, necesita ésta vivir obligatoriamente una vida virtuosa. Es la única manera, continúan los moralistas, de que la mujer pueda alcanzar, y mantener, su posición de respeto en la sociedad.

El criterio de la superioridad sentimental de la Mujer Virtuosa nos recuerda al papel de la mujer en las obras diseminadas por los trobadores franceses a finales del siglo XI: obras que giraban alrededor del tema del Amor Cortés. Fueron los trabajadores los que vieron en el amor la fuente de toda virtud. Andrés Capellanus en su *De arte honeste amandi*, se refiere al poder del amor para hacer el bien: «Los hombres todos concuerdan en que no hay en

---

[13] JULIO ALARCÓN Y MELÉNDEZ: «El feminismo sin Dios», *Razón y Fe* (Madrid, agosto de 1902), tomo III, p. 461.

[14] ALONSO Y RUBIO: p. 81.

el mundo cosa buena ni cortesía alguna que no venga del amor, que es su fuente»[15]. También aquí se originan los conceptos de que para saber amar es necesario sufrir y que la práctica del amor fomenta nobleza. Igual sucede con la idea de la superioridad de la mujer. Con la poesía cortesana la mujer es vista como la salvación del hombre, la única capaz de inspirar en él un amor tan puro que lo lleva a las hazañas más grandes, a los éxitos más rotundos. Dante en su *Vita Nuova* sugiere que por cada hombre hay en algún sitio una mujer que es su mediador personal, su medio de salvación. El nombre mismo de su amada, Beatrice, sugiere la beatificación, llegando Dante hasta el extremo de sugerir que su amada es, en alguna forma u otra, Cristo[16].

A la literatura de consumo se dirigen los escritores del siglo XIX para señalar el poderoso influjo que la mujer tuvo, en la época en que floreció la poesía cortesana, en cuanto a una mejora de toda la civilización europea. Si no hubiera sido por ella, escriben, la Orden de los Caballeros franceses no habría sido muy útil: hubieran permanecido los soldados en su estado de barbarie, en su «brutalidad material» igual que los otros guerreros de su tiempo. En su lugar, y gracias a la influencia de esta mujer, pudieron ser el «amparo del oprimido, el escudo de la viuda y la sombra del huérfano»[17].

La curiosidad que pudo haber despertado en la segunda mitad del siglo diecinueve una literatura escrita varios siglos atrás responde al interés que existía por una de las características esenciales del Amor Cortés: la relación entre amor y clase social. Recuérdese de que con el amor cortesano, las leyes del amor no podían ser aplicadas fuera de la nobleza. No se aceptaban, tampoco, casos de hombres nobles enamorados de mujeres de clase inferior. En la literatura de consumo nos encontramos con una pequeña va-

---

[15] ANDRÉS CAPELLANUS: *De arte honeste amandi.* I, 6A, p. 81. Esta referencia fue obtenida del libro de C. S. Lewis, *La alegoría del amor* (Buenos Aires: Editorial Universitaria de Bs. As., 1969), pp. 27-28.

[16] LESLIE A. FIEDLER: *Love and Death in the American Novel* (New York: Stein and Day, Publishers, 1966), p. 52.

[17] A. PIRALA: «Instrucción. Influencia de la mujer en la civilización europea», *Correo de la Moda* (Madrid, 8 de septiembre de 1857), año VII, n.º 225, p. 258.

riación de este concepto —más «moderno» si se quiere. El amor, de acuerdo a la literatura burguesa, podía existir en cualquier clase pero sólo cuando estos sentimientos fueran compartidos por miembros de la misma clase. Si una mujer pobre se enamora de un hombre de clase superior, los resultados son desastrosos para ella. Muchas veces termina la muchacha con la locura, o con alguna enfermedad incurable, llegando en algunos casos hasta la muerte. Lo que sí se permite, y se promueve, dada la ideología clasista que respalda los valores morales de la época, es el amor entre miembros de la clase burguesa y la aristocrática siempre y cuando la mujer sea una mujer virtuosa. En los pocos casos que se encuentran de esta situación es la mujer la que pertenece a la burguesía.

Otra variedad del mismo prejuicio de clases que se utiliza con frecuencia en la literatura de consumo es el caso de la hija de nobles, abandonada en su niñez y hallada en su juventud. Para la felicidad de la bella y virtuosa muchacha, termina generalmente este tipo de cuentos y novelas con el feliz descubrimiento de su origen noble. Tal hallazgo le permite a la protagonista casarse con un joven noble del que ha estado secretamente enamorada y con quien vivirá feliz el resto de sus días.

Interesantes resultan los detalles que los autores van añadiendo en el transcurso de estas narraciones. A través de sus comentarios demuestran los escritores prejuicios de clase a favor de las clases pudientes. Un caso concreto se encuentra en la historia de la hermosa María, en el cuento de Faustina Saez de Melgar titulado, «La cruz del Olivar». María, de niña, fue rescatada del barro por el guarda de palacios de un marqués. Después de una vida de pobrezas y penurias, termina la bella y virtuosa María descubriendo su nacimiento noble, lo que le permite casarse con el hijo de un marqués. En toda la novela se encuentran comentarios de la autora señalando la superioridad natural que, por nacimiento, le pertenece a María. Un ejemplo de esta actitud lo encontramos en las siguientes palabras de la escritora:

> Al ver la espléndida hermosura de María encerrada en tan pobre estancia, no podía menos de sentirse una profunda admiración. Su rostro de ángel, y la expresión no-

ble y pura de su fisonomía, demostraban que no podía pertenecer a tan humilde clase[18].

Interesante dentro de este aspecto resulta, por tanto, la idealización de la condición de la Mujer Virtuosa pobre que acepta resignadamente su condición en la vida sin profanar con sus lamentos la armonía de la estructura social. La felicidad que surge como consecuencia de la resignación hace que las protagonistas pobres exclamen frases como: «No trocaría mi felicidad por una corona»[19].

No sólo idealiza la literatura de consumo a la Mujer Virtuosa pobre, presentándola como un modelo de perfección a la cual es menester imitar en todo lo posible, sino que la dotan los escritores de cualidades extraordinarias. La convierten en un ser superior, completo, sumergido en las dichas más intensas como resultado de su vida de indigencia. Aún el amor, señalan los autores, es más puro, más total, en la pobreza. Es en la pobreza donde dos seres, desarraigados de toda ambición materialista, pueden confrontarse el uno con el otro, libremente, para amarse de la misma manera. Severo Catalina escribe en 1858, «Dichosos los pobres, cuyos amores y cuyos enlaces preceden siempre de los impulsos del corazón», y compara estos amores a aquellos puros y sencillos que sólo se pueden encontrar entre los pájaros y la naturaleza[20].

Aunque es evidente que esta aparente exhortación a la pobreza podría tener sus orígenes en el deseo, por parte de los escritores moralistas, de transformar ciertos valores orientados al consumo, existe otro nivel que habría que tomarse en consideración al estudiar esta actitud aparentemente «antimaterialista». El tema de la pobreza como un medio de lograr la felicidad tiene una base clasista. Bajo la rúbrica de la alabanza a la virtud de los pobres proyectan los escritores a los pobres satisfechos, y has-

---

[18] FAUSTINA SAEZ DE MELGAR: «La cruz del Olivar», *Correo de la Moda* (Madrid, 31 de mayo de 1867), año XVII, n.º 692, pp. 157-158.

[19] PÉREZ ESCRICH: *La mujer adúltera*, tomo II, p. 357.

[20] CATALINA: p. 176.

ta agradecidos, de su propia condición socio-económica. «La pobreza no deshonra a nadie», leemos en el primer tomo de *María, la hija de un jornalero*[21]. «La fe es la mejor palanca que puede coger el pobre para sostener el peso de su infortunio», leemos en otra novela[22]. Emilia, doncella virtuosa cuyas actividades giran alrededor de la costura para poder mantener a un padre enfermo, repite: «la ambición enoja a Dios. Los pobres debemos contentarnos con nuestra suerte»[23]. El autor de la novela en que aparece la virtuosa Emilia reafirma la misma postura de la muchacha cuando escribe:

> Sobre la tierra existe un desnivel social tal vez irremediable, y al infeliz que le toca luchar con la desgracia, si no quiere vivir eternamente desesperado, debe ante todo aprender a ser pobre[24].

A pesar de que parece existir una nota de simpatía hacia la condición del pobre, no existe una sola nota que le estimule a mejorar su posición social, ni mucho menos a recapacitar sobre la injusticia de tal orden. Aún más, condenan los escritores a aquellos pobres «vanidosos» que demuestran deseos de superar su condición en la vida. El pobre «digno» es aquel personaje indigente que acepta, con orgullo y dignidad, la condición mísera de su vida. Antonio Flores alaba la pobreza virtuosa y la considera la «verdadera, única miseria»[25].

La mayoría de las protagonistas provienen de un mundo burgués. De vez en cuando, sin embargo, aparecen protagonistas virtuosas procedentes del cuarto estado, como ocurre con la bella María en la novela de Ayguals de Izco. Un estudio detallado de estos casos, sin embargo, demuestra contradicciones importan-

---

[21] Ayguals de Izco: *María*, tomo I, p. 268.
[22] Pérez Escrich: tomo I, p. 727.
[23] *Ibid.*, tomo II, p. 357.
[24] *Ibid.*, tomo I, p. 726.
[25] Antonio Flores: Tomo I, p. 101.

tes en la caracterización de personajes femeninos, virtuosos y pobres. El análisis de estas contradicciones demuestran, una vez más, la sutileza con la que algunos escritores utilizan la condición del pobre para apoyar una estructura clasista, basada en la opresión de un grupo por otro. Un estudio breve de la novela de Izco ilustrará el ingenio con el que algunos autores tratan de cubrir, en el nombre de la «defensa de los menesterosos», toda una ideología basada precisamente en el deseo de subordinación y dominación de aquellos grupos a quienes pretendían defender.

María es la hija de un virtuoso jornalero, llamado Anselmo. Nuestra heroína es virtuosa, y como toda mujer Virtuosa, es hermosa y joven. Comparte todas las cualidades de la Mujer Virtuosa: es hija devota; posee buenos sentimientos; la actividad principal de su vida gira alrededor de la preservación de su estado casto contra hombres deshonestos que la acechan cual perros hambrientos, atraídos a ella por su belleza, juventud y virtud. Un detalle, sin embargo, la distingue de muchas otras doncellas virtuosas. María es pobre. Hija de un jornalero, carece de los elementos más básicos para su subsistencia y la de sus virtuosos padres. En su vida, sin embargo, aparece el valiente, rico y noble don Luis de Mendoza. A causa de su belleza, y especialmente de su vida virtuosa, se enamora don Luis de la hermosa María. Después de momentos difíciles de incertidumbre debido a lo incorrecto de un matrimonio con un hombre de una posición socio-económica más alta que la suya, termina María correspondiendo a los sentimientos de su amado. Al final de la novela vemos a María y a don Luis abrazados, encaminándose hacia el virginal lecho nupcial.

Ayguals de Izco ha sido ensalzado a raíz de la publicación de sus novelas y por su visión socialista[26]. Se le ha alabado su sentido de justicia, proyectado a través de su obra en su preocupación por los pobres. Nada más cierto si se lee, por ejemplo, el diálogo entre la Baronesa de XXX y María. Al presentarle María a la Baronesa sus dudas sobre un matrimonio entre dos clases sociales tan dispares, el cuarto estado y la nobleza, responde la Baronesa:

---

[26] Véase especialmente la obra de Iris M. Zavala, «Socialismo y literatura: Ayguals de Izco y la novela española», *Revista de Occidente*, VI, 80 (1969).

> Debe usted convencerse de su virtuosa pobreza. Ella acredita que don Luis la quiere a usted por su propio mérito, por su virtud y su hermosura. Estas son las mejores prendas que una mujer virtuosa puede llevar a su esposo, que por otro lado ocupa en la sociedad una posición tan brillante como honrosa[27].

Como se puede ver, Izco parece estar abogando por una igualdad de clases basada en la sola posesión de la virtud. Un estudio de la posición de Izco demuestra, no obstante, curiosas contradicciones. Mientras que por un lado escribe, «todas las personas virtuosas son iguales»[28], por otro lado leemos, «la pobreza no deshonra a nadie»[29]. Las contradicciones más sutiles se encuentran en la caracterización de la protagonista. Un análisis de María indica que a pesar de ser la muchacha de un origen humilde, carece de ciertas cualidades de una mujer que vive en la pobreza. No tiene, por ejemplo, el menor conocimiento de las actividades domésticas que es de esperar. No sabe cocinar, por ejemplo. En momentos de mayor necesidad económica, tampoco se le ocurre pensar en el trabajo como una posible alternativa a su situación precaria. En dos oportunidades que parece moverse en esa dirección, no lo consigue. En su lugar, pasa a ser la protegida de aquellas personas a quienes esperaba servir: la marquesa de Aguas-Turbias y la Baronesa de XXX. La Baronesa rehusa sus servicios domésticos debido, nada menos, que a su condición virtuosa:

> No —le dice la Baronesa—, usted no ha nacido para el degradante oficio de servir. Yo que conozco sus virtudes, no debe de ningún modo consentirlo. Usted estará en mi casa como una hermana, como una hija...[30].

La virtud en María no es exactamente como la virtud en otras protagonistas virtuosas. Uno no puede dejar de preguntarse si Izco estaba consciente de estas diferencias. Por ejemplo, el olvido

---

[27] AYGUALS DE IZCO: Tomo II, p. 15.
[28] *Ibid.*, tomo I, p. 404.
[29] *Ibid.*, p. 268.
[30] *Ibid.*, p. 400.

en que María mantiene a sus padres en aquellas épocas en que es protegida por miembros de la nobleza, sería inconcebible en los personajes virtuosos. Existe también el elemento manipulador en la personalidad de María. Manipula la humilde muchacha su papel de mujer virtuosa y especialmente su castidad por ser estos los últimos medios que podrían asegurarle un futuro seguro a través de un matrimonio bien remunerado. Las ambiciones de otros hombres con respecto a la protagonista, como Fray Patricio y el Barón de Lago, resultan frustradas concretamente porque no prometían ser buenas perspectivas matrimoniales: el primero por su estado clerical y el segundo por su condición de hombre casado. Los mismos padres de María señalan que sólo fuera de su clase puede su hija encontrar perspectivas matrimoniales buenas, o, por lo menos, mejores:

> ... aislada en su pobreza... era imposible que esta joven hallase un partido digno de su belleza y de sus virtudes, cuando colocada en la sociedad, aunque en puesto humilde, podría ser probable que ya que no contragese un enlace brillante, encontrase a lo menos algún artesano honrado que aspirase a ser su esposo y pudiera proporcionarle con su trabajo un porvenir tranquilo y feliz cual sus virtudes merecían[31].

Interesante resulta este pasaje en que los padres de María admiten, primero, un deseo consciente de movilidad social para su hija y, segundo, el concepto del premio de la virtud en términos materiales.

En la novela de Izco nos encontramos con una obra cuyo escritor parece carecer de algunos conocimientos básicos concernientes a la condición y vida de los miembros del cuarto estado y, específicamente en el caso de la familia de María, del proletariado. En su lugar nos encontramos con una versión de lo que el autor *cree* ser el proletariado. Esto explica las contradicciones en la personalidad de María y la sustitución de valores burgueses en el mundo de una mujer pobre.

---

[31] *Ibid.*, p. 137.

Se podría discutir que lo que Izco está tratando de hacer con su obra es estimular a las clases pobres a que adopten valores burgueses como uno de los medios de conseguir una mejora en su condición económica. Esta propuesta sería, sin embargo, difícil de justificar especialmente si se toman en cuenta las contradicciones inherentes en la novela. Nosotros somos de la opinión que lo que Izco sí está tratando de hacer es idealizar la pobreza, pero no para beneficio de los pobres, sino para beneficio de las clases pudientes, a través del mismo programa regenerador de los otros escritores. Para conocer realmente la posición de Izco ante los pobres, y especialmente ante la mujer pobre, es necesario referirse a otros pasajes de la novela. En una sección sobre la prostitución, por ejemplo, empieza el autor con una nota de simpatía para perderse más adelante en una sórdida moraleja. Al referirse a las casuchas que habitan estas mujeres escribe:

> ... han sido habitadas por esas infelices, a quienes el hombre obliga a prostituirse porque no todas las mujeres están dotadas del suficiente heroísmo, para resignarse a sufrir una existencia fatigosa, llena de privaciones y penalidades[32].

Algo similar ocurre cuando se refiere a las cigarreras de una fábrica de Madrid:

> Las 3.000 infelices operarias que en la fábrica de tabacos de Madrid, elaboran cigarros y rape, son una prueba ostensible de la inclinación que hay en las hijas del pueblo al trabajo y la virtud, pues a pesar del mezquino salario con que se recompensa una labor tan productiva para el Estado como persona para las operarias, a quienes tiene en incesante sujeción, prefieren ganar un jornal incapaz de saciar al hombre, a entregarse a una desmoralización torpemente vergonzosa[33].

---

[32] *Ibid.*, p. 24.

[33] *Ibid.*

Su preocupación va más allá de la explotación de la mujer pobre, ya sea como prostituta o como miembro del proletariado. Para Izco lo esencial en la mujer pobre es que ésta mantenga una vida virtuosa, conforme a la moralidad vigente. Jamás presenta, por tanto, alternativas realistas a la condición de la mujer indigente. Conjuntamente con sus contemporáneos moralistas, se aproxima a la virtud como un medio de control de los sectores pobres a través de la mujer. Jamás se refiere a una mejora en la educación de la mujer, ni mucho menos en las condiciones de trabajo. Pide, eso sí, que el gobierno establezca instituciones dedicadas al ensalzamiento del pobre y a su remuneración material de las grandes virtudes.

La Mujer Virtuosa expresa su amor a través del sufrimiento y de la obediencia. Según los escritores, su capacidad de sobrellevar la vida con resignación y de sufrir con paciencia se le ha sido concedida por poder divino gracias a su capacidad sentimental. La obediencia, por otra parte, está orientada especialmente a las instituciones del matrimonio y de la familia. La Mujer Virtuosa soltera, por ejemplo, adopta una actitud humilde y resignada frente a los mandatos de los padres. La casada adopta una postura de sumisión y conformismo ante la voluntad del marido. Para conseguirlo, elimina la Mujer Virtuosa casada todo deseo personal de traspasar los límites impuestos por él. Muchos de estos dictados de los maridos tienen consecuencias deshumanizantes para la esposa virtuosa, siendo llevados a cabo por la heroína literaria sólo a expensas de una total anulación de su propio ego y una entrega absoluta del «yo» personal para beneficio del «otro»:

> Si el destino te une con un hombre exigente, intolerante, inconsiderado, nunca te rebeles contra él; jamás borres la dulzura de tu mirada, ni las palabras de cariño se ausenten de tus labios, ni extingas la humildad de tu corazón[34].

La vida de sacrificios y de lágrimas que caracteriza a la Mujer Virtuosa tiene sus recompensas. En novelas, cuentos y ensayos se mantiene que la virtud en la mujer tiene tal fuerza de atracción

[34] PÉREZ ESCRICH: *La mujer adúltera*, tomo II, p. 782.

que no existe un corazón duro o pervertido que pueda resistir su poderoso influjo. Ejemplos numerosos se encuentran en los cuales maridos contritos regresan al calor del dulce hogar en señas de arrepentimiento, gracias a la efectividad del negocio sentimental de la Mujer Virtuosa. Un conde arrepentido de su vida de lujuria regresa al lado de su buena y virtuosa esposa, Elisa, cargado de sentimientos de gratitud:

> A tí te lo debo... mi dulce y buena Elisa; porque tú me has dado el ejemplo de tanta resignación, generosidad y nobleza que sería el hombre más ingrato del mundo si no procurase hacerme digno de ti[35].

Angela Grassi escribe palabras semejantes a sus lectores en un cuento titulado, «Quien sólo flores posee, sólo da flores». La escritora de esta narración, sin embargo, proyecta una cierta nota de duda del poder de la virtud.

> Dios formó a la mujer para ser ángel de la Guarda de los míseros mortales. Sean nuestra abnegación y nuestra virtud el crisol de sus errores; sea nuestra virginal pureza el espejo en el cual miran retratada su negra culpa; y humillados al ver su inferioridad, tal vez abjuren sus flaquezas, tal vez comprendan cuán sublime es nuestra misión en este mundo y nos tributen el debido culto[36].

La misión de la Mujer Virtuosa no concluye con el regreso del marido al redil del hogar. Es en ese momento donde la esposa abnegada empieza verdaderamente a desempeñar activamente su papel sacerdotal, a través del amor. Para conseguirlo, y como consecuencia de sus sentimientos afectivos, la Mujer Virtuosa ha sido dotada de armas misteriosas que le facilitan la victoria. Entre éstas se encuentran el candor, la modestia, la bondad, la persuasión, la timidez, la dulzura y las lágrimas. A éstas se añaden otras

---

[35] PÉREZ ESCRICH: *La esposa mártir*, tomo I, p. 581.

[36] ANGELA GRASSI: «Quien sólo flores posee, sólo da flores», *Correo de la Moda* (Madrid, 18 de febrero de 1872), año XXII, n.º 7, p. 51.

armas más «modernas» entre las cuales sobresalen la coquetería y el arte de vestirse bien. Para los propagadores de esta imagen, todos los medios necesarios deben ser utilizados sin menoscabo de la mujer. Sólo así puede la presencia femenina ejercer su verdadera influencia. Resulta interesante la idea que la coquetería —tradicionalmente considerada un vicio en la mujer— sea en este contexto un atributo positivo. La Mujer Virtuosa necesita la coquetería para labrar, y para mantener, su felicidad con el hombre. Coquetería es, en este sentido, «el deseo de agradar y el arte de conseguirlo»[37].

Conjuntamente con la recompensa vislumbrada en el retorno a la sede del hogar de un marido dulce y arrepentido, la Mujer Virtuosa es el foco de otros premios basados en su vida de sacrificios. La doncella virtuosa puede fácilmente conseguir un esposo, escapando, de esa manera, la deshonra y el ridículo de la solterona. Otro galardón otorgado a la Mujer Virtuosa radica en manifestaciones de agradecimiento de parte de los hijos por una vida abnegada y sacrificada. La Mujer Virtuosa pobre recibe generalmente recompensas en términos monetarios, como en el caso de una viuda propietaria de un café miserable. Recibe esta mujer una herencia de 12.000 duros por haber servido «asidua y virtuosamente» a un parroquiano por espacio de dos meses[38]. En un cuento titulado, «Semilla del bien», la bella y virtuosa María recibe una recompensa de 3.000 francos de manos del rey por una vida de sacrificios y de trabajo. De profesión costurera, María trabaja noche y día para poder mantener a su madre enferma y para satisfacer el cuidado de dos niñas huérfanas a quienes ha tomado bajo su protección. El público presente en el agasajo demuestra señales de aprecio hacia la heroína virtuosa arrojándole ramos de flores[39]. Otra de las recompensas otorgada a la Mujer Virtuosa pobre está relegada a un nivel espiritual y como pago de todos sus sufrimientos aquí en la tierra. Este ser virtuoso vive, aunque sin fortuna,

---

37 MME. PAULINE L., traducido al español por G. C.: «El libro de una madre», *La Guirnalda* (Madrid, 20 de noviembre de 1877), año XI, n.º 22, p. 172.

38 MARÍA DEL PILAR SINUÉS DE MARCO: «Las armas de la mujer», *La Guirnalda* (Madrid, 16 de diciembre de 1873), año VII, n.º 168, p. 182.

39 Anón.: «Semilla del bien», *Semanario de las Familias* (Madrid, 6 de agosto de 1883), año II, n.º 32, p. 254.

con el valor y la fe necesarias para alcanzar el favor divino. Para ésta el sufrimiento es secundario al triunfo de su alma porque sabe perdonar y amar. En un poema de Enrique Berthoud leemos:

> ... Vivir cual vive la planta,
> vivir cual vive la bestia,
> es la vida miserable
> de la podrida materia.
> Amar, orar y sufrir,
> perdonar acá en la tierra,
> es caminar a los cielos...[40].

Enfatizando los beneficios espectaculares de una vida virtuosa otorgados a las protagonistas de la literatura de consumo, se aproximan los escritores a la mujer lectora para señalarle que la hora de su reivindicación ha llegado. Llegado ha el momento en que la mujer, siguiendo el modelo de la Mujer Virtuosa, puede reclamar al hombre (su padre, su esposo, sus hijos) de la razón y del liberalismo en que ha estado viviendo hasta entonces. Le recuerdan de que su capacidad sentimental la ha dotado de poderosas armas para luchar y para vencer. Le recuerdan, al mismo tiempo, que el dominio afectivo de la mujer frente al hombre debe tomar lugar dentro de su propia esfera de acción: el hogar. Le aseguran que la mujer que ama domina dentro del hogar y que, tarde o temprano, dominará también en el corazón del hombre. Una vez obtenido este resultado, podrá ella mantener el cariño del hombre siempre y cuando pueda la mujer mantener su estado virtuoso.

La mujer lectora habrá conseguido su objetivo cuando el hombre haya rechazado completamente sus ideas liberales. Sólo entonces habrá cumplido la «misión de la vida» y la «obra de su destino». Por medio del amor el hombre se irá alejando gradualmente de aquellas áreas de conflicto a las que lo han conducido el liberalismo. A medida que el hombre se va apartando de estas zonas de peligro, su ángel de la guarda lo irá guiando y

---

[40] ENRIQUE BERTHOUD: «Estudios morales. El ramo de flores», *Museo de las Familias* (Madrid, 25 de noviembre de 1845), tomo III, p. 255.

orientando tiernamente hacia un nuevo sendero donde reina la virtud. La mujer lectora, siguiendo el código de virtud establecido por las protagonistas de la literatura burguesa de consumo, se convertirá entonces en el «ángel del bien», el «tesoro de la caridad» y la «fuente inagotable de compasión» de la sociedad. Destinada a ser la portadora de aquellas pautas regeneradoras que llevarán a España a su propia rehabilitación moral, cumplirá la mujer finalmente «el sacerdocio de su misión» aquí en la tierra.

Año I | BARCELONA, 15 DE OCTUBRE DE 1883. | Núm. 10

GALERÍA DE RETRATOS DE MUJERES NOTABLES

ANGELA GRASSI, dibujo original de Paciano Ross.

III

GALDOS Y LA LITERATURA DE CONSUMO

5. ¿Rechazo de la literatura de consumo?

> «¡Y por Dios que la odio, por Dios que me es antipática y repulsiva la tal literatura!».
>
> GALDÓS: «La literatura de salones», *La Prensa*, 26, II, 84.

Benito Pérez Galdós, desde sus primeros años de escritor, está consciente de la presencia y popularidad de la literatura de consumo. Comprende el escritor que el estado pobre en que se encuentra la literatura española se debe a la falta de interés entre los escritores y el público en general, en el desarrollo de una literatura netamente nacional. En su conocido ensayo, «Observaciones sobre la novela contemporánea en España», publicado en 1870, culpa Galdós a los novelistas contemporáneos de haber adoptado elementos y técnicas convencionales establecidos por la moda [francesa] a expensas de una posible creación de patrones literarios españoles. Culpa también a los editores por haber inundado el mercado con un «fárrago de obrillas», a la prensa porque tiene que recurrir a las traducciones, y a aquellos responsables de que las obras literarias sean vendidas a precios tan altos[1].

En los artículos periodísticos de su juventud y en sus primeras obras literarias, ataca Galdós de manera violenta la presencia de la obra de consumo en el mercado literario. Se refiere a este tipo de literatura en términos peyorativos. La llama, «literatura filosó-

[1] BENITO PÉREZ GALDÓS: «Observaciones sobre la novela contemporánea en España», *Revista de España*, tomo XV, 57, 1870, p. 164.

fico-nervioso-espeluznante»[2]. A la novela la clasifica de «género romántico insoportable»[3], y «novela de impresiones y movimiento»[4]. Condena su popularidad y señala que en España no se publica otra cosa que no sea aquella que deriva de los patrones franceses. En 1865, en un artículo suyo titulado, «Las siete plagas del año 65», escribe sobre este tema:

> Aquí no es escriben libros de filosofía, ni de ciencias, ni de crítica; esto es cosa ardua. En cambio, se publican sendas novelas que honrarían a Walter Scott y a Manzoni y a cada momento nos vemos asediados por prospectos ingeniosos tan bien escritos como las novelas que pregonan...[5].

Censura Galdós la influencia francesa en la literatura nacional y apunta a lo inusitado de este fenómeno en la historia literaria de su país. En una de sus primeras obras uno de sus protagonistas, el bachiller Carrasco, vocaliza la postura del escritor ante la influencia de la literatura afrancesada en el lector:

> ¡Oh tú, lector gastrónomo, engullido de libros, que has encanecido en la continua contemplación del inagotable Dumas, y del sensibilísimo Federico Soulié: Tú que a fuerza de magullar novelas y de merendar folletines has petrificado tu sensible corazón y has llegado a pasar impávido por las sangrientas páginas...![6].

---

[2] BENITO PÉREZ GALDÓS: «Revista de la Semana», *La Nación*, 16, II (1868), publicado por William H. Shoemaker, *Los artículos de Galdós en «La Nación»* (Madrid, Insula, 1972), p. 423.

[3] *Ibid.*, 1, III, 168, p. 436.

[4] GALDÓS: «Observaciones», p. 164.

[5] GALDÓS: «Las siete plagas del año 65», en el libro de Shoemaker, *Los artículos*, p. 254. Alejandro Manzoni fue un escritor italiano, nacido en 1785. Fue paladín del Romanticismo en su país. Una de sus obras que le dio mayor fama fue *Los novios*, escrita en 1827.

[6] BENITO PÉREZ GALDÓS: «Un Viaje Redondo por el Bachiller Sansón Carrasco», publicado en Las Palmas el 20 de septiembre de 1861 y editado por H. Chonon Berkowitz, *Hispanic Review* (april, 1933), p. 105.

La condición deplorable del mercado literario, y de la literatura en general, la responsabiliza Galdós en los editores y empresarios de las diferentes casas editoriales. A los primeros los compara con un «boa constrictor» y a los segundos con una «foca». Según él, éstos eran los responsables de que la literatura se había convertido en una mercancía orientada más que nada a la satisfacción del mercado de consumo y demanda. Lamenta Galdós que el impulso comercial de la obra literaria había pasado a un primer nivel, dejando relegado a una posición secundaria otros elementos importantes. Como resultado, se encontraba el lector con una literatura mediocre, «convencional y sin carácter, género que cultiva cualquiera, peste nacida de Francia y que se ha difundido con la pasmosa rapidez de todos los males contagiosos»[7].

La crítica de Galdós no sólo se dirige a la literatura de consumo y a los editores y empresarios responsables de su distribución, sino que también va orientada a aquellos lectores que tan ávidamente consumían este tipo de literatura. Refiriéndose a éstos, los llama, «lectores de pacotilla», por ser ellos los que «forman la atmósfera que envuelve las malas obras», y los que «hacen copioso abasto de la poesía hinchada y de relumbrón, y regalan su estómago con la indigesta novela que fabrican ciertos escritores»[8]. A través de Sansón Carrasco llama a este tipo de lector, «tonto de afolio, loco de atar, hideputa, malnacido, socarrón, estripaterrones, cretino, indómito y antrofófago»[9]. Condena Galdós especialmente la falta de una postura crítica del lector frente a las obras de consumo. Escribe, «el gran mal de la literatura moderna consiste en que el libro detestable es tan leído como el bueno. Todos son igualmente favorecidos, todos son llamados al gran palenque, a un inmenso certamen»[10]. Para el autor de *Fortunata y Jacinta*, el segundo delito más grande, después de escribir una de estas obras, es el de leerlas.

Uno de los aspectos literarios que más preocupaba al escritor

---

[7] GALDÓS: «Observaciones», p. 164.

[8] GALDÓS: «Colección de poesías de don Rafael M. Fernández Neda», *La Nación*, 22, VII, 65, del libro de Shoemaker, *Los artículos*, p. 97.

[9] GALDÓS: «Un Viage Redondo», p. 105.

[10] GALDÓS: «Colección de poesías», p. 98.

de Canarias en la obra de consumo era la falta del «realismo». Para Galdós, la literatura no podía, ni debía, prescindir del realismo. En caso de que este aspecto estuviera ausente, la obra literaria no podía ser considerada dentro de los cónones de la buena literatura. Es importante notar, sin embargo, que el «realismo» —al que se refiere el Galdós de la primera época— llevaba implícito en su definición original dos elementos importantes, el aspecto ético y el estético.

Desde los comienzos de su carrera de escritor, Galdós mantiene constante la postura de que la literatura no puede existir alienada de su función ética. De faltarle, la literatura se convierte en una «exhibición descarada». El efecto de esta literatura en el público lector es uno de «descontento» y de «tristeza»[11]. Pero Galdós considera que la función moral de la obra literaria ha sido cumplida sólo en parte si demuestra el mal, o el vicio, sin señalar al mismo tiempo el remedio necesario para su eliminación. A los autores que prescinden de la segunda parte del aspecto de la ética en sus obras los considera «pesimistas», «excépticos» que bajo la pretensión de corregir lo malo «no hacen más que señalarlo, descubrirle toda su repugnancia, ofendiendo lastimosamente el pudor del arte». A este tipo de obra lo llama, «aborto de la imaginación»[12]. Para Galdós, la obra realista necesita reflejar, conjuntamente con la manifestación del mal, la «turbación honda, la lucha incesante de principios y de hechos» que el mal produce en la sociedad[13]. Sin este elemento, la literatura no hace otra cosa que ponerse al servicio de una «realidad grosera»[14].

El segundo aspecto que Galdós critica es la falta del elemento estético. Según el escritor, la estética debe ser un componente integral en toda obra literaria. De faltarle, la obra narrativa es incompleta y, por tanto, de inferior calidad. La definición que de lo estético da Galdós es la de un tropo estilístico cuya función es

---

[11] GALDÓS: «El suplicio de una mujer», *La Nación*, 3, XII, 65, del libro de Shoemaker, *Los artículos*, p. 226.

[12] GALDÓS: «El suplicio», p. 226.

[13] GALDÓS: «Observaciones», p. 167.

[14] GALDÓS: «El suplicio», p. 226.

la de halagar la imaginación del público lector. Esta reacción se logra, según el autor, a través de la belleza, de la poesía. El rechazo del vicio en la literatura pierde su significado si no va acompañado del elemento estético: la maldad repudiada a través de un lenguaje poético. En una reseña de Galdós sobre una obra francesa titulada «El suplicio de una mujer», vemos un ejemplo de la reacción violenta del novelista ante lo que él considera una literatura que carece del elemento edificador a través de un lenguaje poético. La fuerza de las convicciones del autor con respecto a este aspecto se siente en las siguientes palabras: «Aquello, en vez de estudio analítico de un mal moral, es disección inmunda de un mal físico. Allí no hay ideal político, ni forma artística. Todo es monstruoso y desgarrador»[15].

La obra que logra denunciar el mal de una manera amena, placentera, es, para Galdós, una obra «bellamente realista». Para nuestro escritor el realismo significa precisamente esto: la elevación —el encumbramiento— de la realidad a un plano estético. Elogia, por ejemplo, a los poetas alemanes por su capacidad de transmitir sus ideas por medio de un símbolo bello. Escribe Galdós: «Explotan los poetas alemanes las virtudes y los vicios personificados en una flor, en un pájaro o en una nube»[16]. En su discurso de ingreso a la Real Academia Española en 1897, expresa Galdós su opinión de lo que debe ser la nueva novela española:

> Imagen de la vida es la Novela, y el Arte de componerla estriba en reproducir los caracteres humanos, las pasiones, las debilidades, lo grande y lo pequeño, las almas y las fisonomías, todo lo espiritual y lo físico que nos constituye y nos rodea, y el lenguaje, que es la marca de raza, y la vestidura, que diseña los últimos trazos externos de la personalidad: todo esto sin olvidar que debe existir perfecto fiel de balanza entre la exactitud y la belleza de la reproducción[17].

---

[15] GALDÓS: «El suplicio», p. 226.

[16] GALDÓS: «Colección de poesías de don Rafael M. Fernández Neda», p. 98.

[17] GALDÓS: *Discursos leídos ante la Real Academia en las recepciones públicas del* 7 *y* 21 *de febrero de* 1897 (Madrid, 1897), p. 12.

Un análisis detallado de la postura de Benito Pérez Galdós frente a los aspectos de la ética y de la estética en la literatura nos señala, sin embargo, una aproximación entre Galdós y los autores de las obras de consumo. Para todos estos escritores, incluyendo a Galdós, la finalidad de la literatura no debía ser otra que la de tratar de corregir, o enmendar, los males sociales que aquejan a la sociedad, a través de un lenguaje poético. No sorprende, por tanto, que cuando en 1912 le preguntaron a Galdós si era partidario del arte por el arte, respondiera negativamente:

> No... Creo que la literatura debe ser enseñanza, ejemplo. Yo escribí siempre, excepto en algunos momentos de lirismo, con el propósito de marcar huella... En pocas obras me he dejado arrastrar por la inspiración frívola[18].

En Galdós se escuchan ecos de Ayguals de Izco cuando señala éste que el éxito del fin moralizante de la obra literaria depende de poder ocultarlo cuidadosamente de la curiosidad del lector. Tanto para Galdós, como para la gran mayoría de los escritores de literatura de consumo, el elemento edificante de la obra triunfa sólo cuando el autor sabe poner en juego sus recursos poéticos, trazando un plan sencillo y desarrollando una acción inocente[19].

Comparte también Galdós con los otros escritores inquietudes semejantes relacionadas a los males sociales y morales que estaban aquejando a España en ese momento. Igual que aquéllos, asume Galdós la responsabilidad de confrontar directamente, a través de su obra, los problemas que invadían a su patria, especialmente aquellos vinculados con la falta de moralidad de las instituciones más estimadas de la sociedad española: la vida doméstica y la organización familiar. Conjuntamente con los otros escritores, ve en ambas instituciones un reflejo del estado de decadencia moral en que se encontraba España. A semejanza de los otros, manifiesta también en sus personajes femeninos, los pro-

---

[18] Citado del libro de Luis Antón del Olmet y Arturo García Carraffa, *Galdós* (Madrid, 1912), p. 23.

[19] GALDÓS: «Colección de poesías de don Rafael M. Fernández Neda», p. 98.

blemas de una sociedad en crisis. La mujer, sin embargo, en la que Galdós enfoca los problemas morales de España difiere en aspectos importantes de la Mujer Virtuosa de la literatura de consumo.

A diferencia de los escritores de las obras de consumo, no considera Galdós que la imagen literaria de la Mujer Virtuosa sea la respuesta adecuada a la problemática de la moralidad española, ni de sus instituciones, ni mucho menos de la mujer. Por el contrario, rechaza Galdós esta imagen femenina como medio regenerador de España por razones lógicas si se tiene en cuenta el concepto que el autor mantiene de la literatura. En primer lugar, se caracteriza la Mujer Virtuosa, como ya hemos visto, por su falta de integración en la clase media española. En segundo lugar se encuentran sus raíces extranjeras y, por último, carece la Mujer Virtuosa del elemento de verosimilitud del que no debe, ni puede, prescindir un personaje realista. Por otro lado, rechaza Galdós la imagen virtuosa por estar anclada en un código moral anticuado, impuesto desde fuera por aquellos grupos alejados de la experiencia de la clase media española. Las protagonistas femeninas de las primeras Novelas Contemporáneas se manifiestan en la narrativa galdosiana como personajes antitéticos a la imagen virtuosa de la obra de consumo.

La antítesis es, no obstante, más de caracterización que de valores. No rechaza Galdós totalmente las cualidades que rodean a la protagonista virtuosa. Condena Galdós, por ejemplo, los extremos a los que ha llegado la mujer por su exagerada afición al lujo. Al lujo lo compara con una serpiente que inocula en la sangre pura, «el virus de un loco apetito».

> El lujo es lo que antes se llamaba el demonio, la serpiente, el ángel caído, porque el lujo fue también querubín, fue arte, generosidad, realeza y ahora es un maleficio mesocrático, al alcance de la burguesía, pues con la industria y las máquinas se han puesto en condiciones perfectas para corromper a todo el género humano, sin distinción de clases[20].

[20] BENITO PÉREZ GALDÓS: *El amigo Manso. Obras Completas* (Madrid, Aguilar, 1970), p. 1238.

Es el lujo responsable de que la mujer deje de lado su estado virtuoso, entregándose al mundo del vicio. Manso, protagonista de una novela con su mismo nombre, manifiesta su disgusto por los estragos que éste causa en la mujer, especialmente la mujer joven, inocente:

> ¡Ay! Manuela, no sabes a qué tentaciones vive expuesta la virtud en nuestros días. Tú figúrate. Se dan casos de criaturas inocentes, angelicales, que en un momento de desfallecimiento han cedido a una sugestión de vanidad, y desde la altura de un mérito casi sobrehumano han descendido al abismo del pecado. La serpiente les ha mordido...[21].

Rosalía de Bringas, en *La de Bringas*, personifica los efectos destructivos del lujo en la vida del hogar.

Igual que los otros escritores, teme Galdós que la influencia negativa del estado de inmoralidad en que se encontraba España recayera especialmente en la mujer joven e inocente, desviándola de la recta de una vida ejemplar. Para Galdós, la mujer —el «sexo humanitario por excelencia»— se caracteriza por su «debilidad material»[22]. En su obra, *Un viaje redondo*, después de un largo monólogo de Satán sobre el aumento de la prostitución, lamenta el diablo el «estrago tan contagioso» de estas mujeres sobre las más inocentes:

> Veredes a la joven honrada, pervertida por el ejemplo de la desvergonzada meretriz que pasea en carroza y carga brillantes de pedrerías, las veredes trocada en una mujer horripilante y degradada, que camina olvidada de todo el mundo, envuelta en sedas y adorno hacia un sepulcro tan a deshora abierto.

En la misma obra se hace referencia a la influencia negativa y destructiva de los «poetastros y novelistas» en la lectora joven, los cuales, «llamando virtud al vicio más degradante de la huma-

[21] *Ibid.*

[22] GALDÓS: «Revista de Madrid: Auditorio femenino», *La Nación*, 17, XII, 65, del libro de Shoemaker, *Los artículos*, p. 245.

nidad» —la prostitución— filtran «el veneno de la corrupción en el inocente corazón de la lectora». Dadas estas influencias —leemos— el resultado inevitable es que la joven inocente deje la vida virtuosa, abrazando la profesión [de la prostitución] sin temor del qué dirán[23]. A este ser débil, fácil de seducir y de corromper, considera el escritor la necesidad de protegerla y de fortalecerla espiritual y moralmente. La que será el vehículo regenerador de la gran familia española no sólo necesita estar consciente de su debilidad sino también conocer los males que la acechan. Galdós utiliza la literatura como medio de combatir estos males en la mujer. Rechaza, sin embargo, la imagen de la protagonista de la obra literaria de consumo como el modelo al cual es menester que el lector imite en todo. Las protagonistas femeninas de dos de sus Novelas Contemporáneas, *La desheredada* y *Tormento* representan un tipo de personaje femenino que Galdós utiliza en su propia campaña de regeneración del pueblo español.

Para el Galdós de la época en que escribe sus primeras Novelas Contemporáneas, la imagen femenina que mejor se presta para proyectar sus inquietudes moralistas es la imagen de una mujer de la clase media baja. Recuérdese de que para Galdós es la clase media, «el gran modelo, la fuente inagotable», de donde se originarán las soluciones a muchos de los problemas de su patria. Aunque más adelante sugiere en su obra, *Fortunata y Jacinta*, que si la clase media no logra remediar los males sociales será el pueblo el que proveerá la columna moral que necesita España para su regeneración, en 1870 todavía considera a la clase media como la única capaz de impulsar a España en el tan ansiado proceso de renovación social y moral. Es la clase media la que, según él, se mantiene en un estado de incesante agitación. Es también la única que se entrega a la búsqueda de ciertos ideales y la única que anhela una resolución a sus problemas. Es dentro de esta clase media donde se descubrirán los males que afligen a la mujer y a la sociedad. Una toma de conciencia de los orígenes de estos males implicaría ya en sí un primer paso hacia su cura. El segundo paso sería la eliminación total, el exterminio radical de las diferentes dolencias.

23 GALDÓS: *Un viaje Redondo*, p. 110.

La solución a los problemas de la mujer y de España la busca Galdós en una esfera aparentemente marginada de los preceptos morales proyectados en el código virtuoso. El remedio a la enfermedad moral de su patria lo busca en la educación. En toda la narrativa galdosiana se refleja el enorme apoyo que Galdós mantuvo hacia la educación. Para Galdós ésta era el único medio de combatir, eficazmente, la situación crítica en que se encontraba España. En el «Prólogo» que escribió en 1901 a la tercera edición de la obra de Clarín, *La Regenta*, se refiere el autor a las consecuencias funestas en la mujer no educada.

> En ella [Ana Osorio] se personifican los desvaríos a que conduce el aburrimiento de la vida en una sociedad que no ha sabido vigorizar el espíritu de la mujer por medio de una educación fuerte, y la deja entregada a la ensoñación pietista, tan diferente de la verdadera piedad[24].

Deplora asimismo Galdós la educación deficiente que se les brinda a las mujeres más afortunadas: educación que consiste en «leer sin acento, escribir sin ortografía, contar haciendo trompetitas con la boca y bordar con punto de marca el dechado»[25]. En su novela, *Tristana*, condena Galdós el tipo de educación orientado a hacer a la mujer más atractiva en el mercado matrimonial y que consistía en saber un poco de piano y «el indispensable barniz de francés»[26].

Varios estudios se han hecho relacionando la influencia de los krausistas españoles a las actitudes de Galdós. La mayoría de estos estudios han basado sus conclusiones en la relación que sobre los conceptos pedagógicos y de la educación en general se encuentran en los escritos de los intelectuales neo-kantianos y en la narrativa galdosiana. Para el propósito de este estudio, sin embargo, el análisis de la relación entre los krausistas y las ideas

---

[24] BENITO PÉREZ GALDÓS en el «Prólogo» a la tercera edición de *La Regenta*, de Leopoldo Alas. *Obras Completas* (Madrid, 1951), p. 1450.

[25] BENITO PÉREZ GALDÓS: *Fortunata y Jacinta. Obras Completas* (Madrid, 1942).

[26] BENITO PÉREZ GALDÓS: *Tristana. Obras Completas* (Madrid, 1942), p. 1612.

de Benito Pérez Galdós va más allá de preceptos pedagógicos, para concentrarse especialmente en aquellos males que, según los discípulos de Krause y Galdós, deberían ser solucionados a través de la educación.

Los krausistas españoles y Galdós comparten los mismos sentimientos de inquietud frente al estado lamentable en que se encontraba España. Igual que Galdós, ven los krausistas que la condición de su país es el resultado de un conflicto de valores. Las fuentes antagonistas emanan, según los krausistas, de la influencia francesa, de la literatura «naturalista» y de la ignorancia en que se encontraba sumergida no sólo la mujer española, sino la sociedad en general. Sanz del Río lamenta la influencia francesa —por materialista y fácil— y se queja del lastimoso efecto que las costumbres del otro lado de los Pirineos han ejercido en lo nacional:

> Lamento cada vez más la influencia que la filosofía y la cultura francesa han ejercido entre nosotros durante más de medio siglo. No nos ha dejado más que pereza, para trabajar por nuestras propias fuerzas, falso saber y, sobre todo, deshonestidad intelectual y egoísmo petulante[27].

Condenan asimismo la presencia de la literatura naturalista, la cual, según ellos, revela impúdicamente la realidad sin revestirla de la belleza artística, indispensable en el acto de creación. Don Francisco Giner critica aquella obra literaria que estriba «en la fidelidad de la reproducción, al modo de lo que acontece con los bodegones y fruteros en la pintura: en que las cacerolas, cebollas y conejos están tan propios, que no les falta más que hablar »[28]. Más adelante, en el mismo artículo, Giner considera la novela contemporánea, «erótica, en el peor y más carnal sentido de la palabra».

---

[27] Citado por RAYMOND CARR: *España*, 1808-1939 (Barcelona, Ediciones Ariel, 1968), p. 294, nota 109.

[28] FRANCISCO GINER: « El cisne de Vilamorta , de Da. Emilia P. Bazán», *Boletín de la Institución Libre de Enseñanza*, 31 de julio de 1885, año IX, n.º 203, p. 218.

Lamentan también los krausistas el mal funcionamiento de la estructura familiar y encuentran los orígenes de los problemas que agobian a las familias en el deficiente funcionamiento de la institución familiar misma. Pierre Jobit, analizando las ideas promulgadas por los seguidores del filósofo alemán, indica que para éstos, la familia, en su estado actual, no era modelo ni de virtud ni de urbanidad. Censuran la condición de la madre española, la cual, además de ser una mujer ignorante y mal educada, cree haber desempeñado una buena función simplemente por el hecho de tener hijos saludables[29].

En oposición a los escritores tradicionalistas, sin embargo, los krausistas eran de la idea que la problemática española necesitaba ser estudiada objetivamente. Sólo de esa manera se podía llegar a soluciones realistas de las diferentes llagas sociales. Comparan a la sociedad con el ser humano y señalan que los males sociales deben ser eliminados de la misma manera en que se eliminan los padecimientos fisiológicos en un individuo. Si la sociedad está enferma, necesita tener conocimiento del mal que la aqueja, para poder combatirlo. El proceso de su recuperación se logra en tres etapas. Por un lado, necesita la sociedad convencerse de todos los diferentes aspectos que pueden estar contribuyendo a su malestar. El segundo paso radica en la formulación de un plan «objetivo» orientado al alivio de sus males. Por último, una vez propuesto el remedio se necesita aplicarlo a la sociedad en pleno[30].

La fórmula «objetiva» con la que quieren los krausistas poner un fin a las enfermedades morales de España se basa en un nuevo sistema educativo que incluya la totalidad integral del individuo, es decir, una combinación armónica entre el cuerpo y el alma, entre la materia y el espíritu. La Institución Libre de Enseñanza, establecida en 1876, se creó con el propósito de incorporar este nuevo precepto.

---

[29] PIERRE JOBIT: *Les Educateurs de L Espagne Contemporaine* (París, E. de Boccard, editeur, 1936), pp. 169-170.

[30] ELÍAS DÍAZ: «Reformismo social krausista: Gumersindo de Azcárate», ed. por Clara E. Lida e Iris M. Zavala, *La Revolución de* 1868 (New York, Las Americas Publishing Co., 1970), p. 250.

Satisfechos con el plan propuesto y seguros de poder obtener los resultados que esperaban, ven los krausistas en la condición de la mujer otro de los aspectos al cual podían aplicar sus teorías. Su concepto de la educación femenina, sin embargo, no prescindía de muchos de los valores proyectados en la Mujer Virtuosa de la literatura de consumo. Buscaban los krausistas, por ejemplo, una mejora en la condición de la mujer a través de la educación, pero una mejora asentada en las mismas bases morales, tradicionalistas y conservadoras, que había distinguido a los otros escritores. En un ensayo escrito por el prominente krausista, Urbano González Serrano, menciona el escritor que una solución a la crisis familiar podría alcanzarse reformando la educación de la mujer, pero teniendo siempre en cuenta la importancia de sus sentimientos. Es el corazón de la mujer, escribe González Serrano, «la fuente de abnegación y del sacrificio» y cualquier esfuerzo que se haga para instruir a la mujer debe atender «predominantemente a la pureza y rectitud de sus sentimientos»[31]. En otro ensayo titulado, «Importancia del estudio de la naturaleza en la educación de la mujer», escrito por otro conocido krausista y catedrático en el Instituto de Málaga, M. Atienza y Servant, nos encontramos con las ideas fundamentales de estos pedagogos concernientes a la educación de la mujer:

> La educación de la mujer, además de los deberes propios de su sexo, ha de dirigirse por medio de la religión y de la moral, al acrecentamiento de las virtudes públicas y privadas a arraigar profundamente el amor a la familia, y a extinguir, sin tregua ni descanso, la perniciosa afición al lujo, causa primordial de la mayoría de los disgustos domésticos y de la desmoralización de la familia. Por medio del estudio de los rudimentos de las ciencias físicas y naturales, a fortalecer el espíritu en la creencia religiosa, e iniciarla en los fenómenos y maravillas de la creación[32].

[31] URBANO GONZÁLEZ SERRANO: «Una cuestión de actualidad», *Revista de España*, 1873, tomo 30, n.º 118, p. 191.

[32] M. ATIENZA Y SERVANT: «Importancia del estudio de la naturaleza en la educación de la mujer», *Instrucción para la Mujer*, 16 de enero de 1883, p. 341.

En 1871 crean los krausistas la «Asociación para la Enseñanza de la mujer», cuyo propósito —como ellos mismos lo indican— es, en parte, para entrenarla en los diferentes aspectos del magisterio «a cuyo desempeño la llaman sus peculiares aptitudes», y en parte para que aprendan a cumplir «acertadamente deberes impuestos a su sexo en las situaciones comunes a todas, como miembros de la familia y de la comunidad vecinal, de la Patria y de la Humanidad»[33].

Los krausistas, igual que los escritores tradicionalistas, ven en la mujer «debidamente» educada el vehículo que llevará a España a su regeneración. Fernando de Castro, en un discurso en la inauguración de las conferencias dominicales orientadas a un grupo de mujeres, define para su atento y ávido público femenino su visión de la educación en la mujer.

> Es de rigor que levantéis el nivel de vuestra instrucción... Cuando tal hayáis conseguido, influid sobre el hombre para que valga y sea algo en la vida e historia de su tiempo, algo en religión, algo en política de vuestro país, algo en las demás esferas y fines de la vida[34].

En un ensayo suyo, en la prensa krausista, D. R. M. de Labra confirma esta postura. El fin de las conferencias dominicales es, según Labra, «para que la mujer responda al ideal y sea siempre *ángel de paz* en la familia, madre del hogar doméstico y fuerza viva en la sociedad humana»[35]. Como bien dice Jobit, el plan educativo programado por los krausistas para la mujer se puede resumir en tres palabras: moralidad, religión y belleza[36].

Benito Pérez Galdós, en dos de sus primeras Novelas Contem-

---

[33] RUIZ DE QUEVEDO: «Discurso de Apertura del Curso, 1882-1883. *Boletín de la Institución Libre de Enseñanza*, citado por Ivonne Turín en su libro, *La educación y la escuela en España de* 1874 *a* 1902 (Madrid, Aguilar, 1967), p. 62.

[34] Citado por Ivonne Turín en su libro, *La educación y la escuela en España de* 1874 *a* 1902 (Madrid, Aguilar, 1967), p. 62.

[35] D. R. M. DE LABRA: «Don Francisco de Castro como educador», *Boletín de la Institución Libre de Enseñanza*, año XII, n.º 282, 15 de noviembre de 1888, p. 265-269.

[36] JOBIT: p. 185.

poráneas —*La desheredada* (1881) y *Tormento* (1884)—, examina los valores tradicionalistas tal y como se proyectan en la literatura popular e insiste en una escala de valores que se avenga mejor a las circunstancias específicas de los verdaderos problemas de la mujer y de España en general. Siguiendo los preceptos krausistas espera que el rejuvenecimiento de muchos de los valores nacionales contribuya a una imagen diferente del español: imagen adquirida por medio de una seria revalorización de lo tradicional y por medio de la educación.

6. Isidora Rufete: «¡Yo he leído mi propia historia tantas veces!»

Isidora Rufete es víctima de un exceso de fantasía y de ilusiones falsas a las que han contribuido la lectura de obras literarias analizadas en los capítulos anteriores. Varias veces se refiere Galdós a la fascinación irresistible que Isidora siente por la «mala literatura» y a los efectos destructivos de esta literatura en la vida de la protagonista. El propósito de este capítulo es el de examinar la relación entre la vida de Isidora Rufete y la «mala literatura» a la que hace referencia Galdós. La yuxtaposición de las ilusiones de Isidora Rufete frente al mundo ficticio de la literatura de consumo nos lleva a nuevas conclusiones sobre la protagonista de *La desheredada* y sobre la postura de Galdós en su novela.

Muchos y variados críticos de *La desheredada* han reconocido el papel de la literatura en la formación, y deformación, de la personalidad de la protagonista. Montesinos escribe: «... todos los informes novelescos, desde los de Ayguals de Izco hasta los del casi moderno Luis de Val... fueron para la pobre desheredada funestos libros de caballería» e «Isidora es, por su desgracia, una *novelera*»[1]. Eamonn Rodgers en un artículo titulado «"Galdós" *La desheredada* and Naturalism» menciona la tendencia de la protagonista a dignificar la realidad de tal manera que concuerde con sus preconcepciones románticas. Escribe Rodgers, «This romanticizing tendency is not confined to Isidora. It is in *La desheredada*, I think, that Galdós begins to realize the rich artistic

[1] José F. Montesinos: *Galdós*, vol. II (Madrid, Editorial Castalia, 1969), p. 4.

possibilities afforded by the ironic portrayal of an entire generation which has been taught by its reading to view life in romantic terms»[2]. Gerald Gillespie escribe: «With Isidora Galdós ... pursues ironically the romantic type, who lives farsas estudiadas o capítulos de novela... »[3]. Estas «farsas estudiadas» o «capítulos de novela» a las que se refieren críticos como Gillespie provienen de obras literarias analizadas en los capítulos anteriores y cuyas bases giraban alrededor de temas morales íntimamente relacionados con la mujer. En estos escritos, como ya hemos visto, se propagaba condorosamente el esquema de virtud desplegado por la Mujer Virtuosa y se consideraba como una de las funciones primordiales del escritor, y escritora, el mantener al público lector en un permanente estado de vigilia en cuanto a los valores morales de la época.

Isidora Rufete, hija de Tomás Rufete y sobrina de Santiago Quijano Quijada ha leído, como ella misma lo afirma, su historia muchas veces. Como Don Quijote, la lectura estimula en la mente de la protagonista la formulación de un mundo literario que ella transfiere a la realidad cotidiana de su vida. Como el «Caballero de la triste figura» que siempre tenía una aventura literaria que justificara sus propias aventuras, las diferentes facetas de la realidad varían para Isidora según las variantes de su fantasía y de sus circunstancias del momento, aunque parten de las mismas bases literarias: las historias de las protagonistas virtuosas de las obras populares repetidas *ad infinitum*.

La caracterización de Isidora representa a un tipo de mujer determinado. Es la mujer que, por diferentes circunstancias —por temperamento, ignorancia y pobreza— internaliza de tal manera los valores literarios que la única perspectiva que mantiene del mundo que la rodea, está rígidamente limitada, y determinada, por el mundo ficticio de la obra burguesa de consumo. El caso específico de Isidora, sin embargo, va más allá de una simple asimilación de los valores literarios. El análisis de la historia de Isidora, desde el momento en que aparece en el manicomio de Le-

---

[2] EAMONN RODGERS: «"Galdós" *La desheredada* and Naturalism», *BHS*, XLV (1968), pp. 290-291.

[3] GERALD GILLESPIE: «Reality and Fiction in the Novels of Galdós», *Anales Galdosianos* (1966), p. 16.

ganés hasta el instante en que se pierde en las calles de Madrid, nos va demostrando paulatinamente el proceso de degeneración de una mujer que se pierde por haber adoptado los valores de una literatura como los únicos medios posibles de adquirir un estado de «dignidad» en la sociedad. La referencia constante que Isidora hace a su estado «decente» («mi hermano y yo somos personas decentes», para citar un sólo ejemplo de los muchos (p. 989b)) está íntimamente ligado al concepto literario de la virtud como prerrogativa de clases económicamente solventes. Es en esta conceptualización de la «honradez» donde radica, según Galdós, la «inmoralidad» de la protagonista. El proceso destructivo en el que se sumerge Isidora al tratar de relacionar una vida «honrada» o virtuosa con una cierta posición social —de la que ella no participaba— la llevará finalmente a su inevitable derrota.

Los valores literarios toman raíz en Isidora debido a su fantástica habilidad imaginativa. Debido a la exhorbitante imaginación que la caracteriza, Isidora internaliza los valores literarios hasta tal punto que pierde el contorno de la línea divisora entre el mundo ficticio de la literatura y la realidad social que la rodea. Aún más: la perspectiva real desaparece totalmente para Isidora y los elementos literarios básicos: fortuna y marquesado, alcanzan tal magnitud que se convierten en las bases fundamentales de otra vida para la protagonista, tan importante como su vida fisiológica. Sobre esta dualidad escribe Galdós: «Era una segunda vida [la de la imaginación] encajada en la vida fisiológica y que se desarrollaba potente, construida por la imaginación, sin que faltase una pieza, ni un cabo, ni un accesorio» (p. 992a)).

Las referencias que Isidora establece entre las ilusiones de su vida y la literatura son muchas en la obra. En momentos cuando recién llega a Madrid, logra obtener algunas monedas que la ayudarán en la adquisición de cosas «indispensables» entre las que se encuentran cinco novelas. En la «Modelo» —cárcel de mujeres— edificio triste y vulgar, se considera a sí misma un «tipo novelesco» y se compara a María Antonieta[4]. A sus amigos les pide «libros de entretenimiento» para escapar del tedio y del aburrimiento de la vida de prisión. Ya a fines de la novela, y

[4] Benito Pérez Galdós: *La desheredada*, tomo IV, p. 1137a.

de su historia, cuando recapacita sobre los posibles orígenes de aquellas ilusiones que hasta ese momento habían sido consideradas por ella como la esencia de su propia vida, las concibe como una «infame comedia» (p. 1156b).

Sus ideas sobre el amor tienen sus orígenes en patrones literarios, concretamente en el de la Mujer Virtuosa. Para ésta, según hemos visto, el amor era único, invariable y en él se sumergía totalmente. Era, además, un amor sacrificado y tolerante. En el nombre de este amor sufrían las heroínas virtuosas las más grandes humillaciones, las cuales incluían muchas veces el castigo físico. En la novela *El antifaz de terciopelo*, la virtuosa Angela exclama: «El verdadero amor no varía, no muere jamás —se asemeja a un brillante meteoro que podrá palidecer por algunos momentos, pero apagarse jamás»[5]. Por otro lado, Rosa, la protagonista de otra novela titulada *La esposa mártir* es, como el título de la novela lo indica, una pobre mártir, una «santa mujer» cuyo sacrificio radica en no querer ver, ni mucho menos aceptar, los muchos defectos de Beltrán, su marido. Pérez Escrich alaba la fortaleza emocional de Rosa basada precisamente en la resistencia frente a la crueldad de Beltrán: «Doña Rosa, objeto de horribles martirios, es un ángel sobre la tierra, para quien no hay otros lazos que los del amor y del deber»[6].

Frente a estas fuentes literarias, no extrañan, por tanto, las ideas que del amor tiene Isidora y la manera que ésta las proyecta en su relación con Joaquín Pez. Compárense, por ejemplo, las dos últimas citas a las palabras dichas por Isidora a su amante en un momento de autorecriminación:

> ¿Quién no tiene un castigo en el mundo? Mi castigo eres tú. En vez de darme enfermedades o de volverme fea, Dios me ha dicho: «Quiérele»; y ya ves, te quiero y padezco... Te amaré siempre, mientras viva... No puedo amar sino a uno sólo, y amarle siempre... Uno sólo me ha conquistado, y de eso soy. Venga lo que viniere, a mi amor me atengo (p. 1095a).

---

[5] Eduarda Feijóo de Mendoza: «El antifaz de terciopelo», *Correo de la Moda*, año XXII, n.º 45, 2 de diciembre de 1872, p. 359.

[6] Escrich: *La esposa mártir*, tomo II, p. 205.

Todo lo que Isidora espera y anhela de la vida es lo que las heroínas virtuosas esperan, y obtienen, como recompensa a una vida virtuosa: es decir, riqueza, amor sancionado por la ley y la vida honrada de la mujer virtuosa. Dice Isidora: «Riqueza, mucha riqueza; una montaña de dinero; luego otra montaña de honradez, y al mismo tiempo una montaña, una cordillera de amor legítimo...; eso es lo que quiero» (p. 1100a).

Como se puede ver, la posición que Isidora quisiera alcanzar en la vida incluye, como uno de sus requisitos fundamentales, la riqueza. Al mismo tiempo, desde la primera aparición de la bella pero pobre muchacha en el manicomio de Leganés —consciente siempre de la triste condición de sus viejas botas— nos damos cuenta de la distancia que existe entre ella y el estilo de vida al que están acostumbradas las heroínas virtuosas de la literatura popular. Para alcanzar, por tanto, el estado de «decencia» anhelado por la protagonista (y estimulado por su padre y por su tío) asimila la protagonista el papel literario de las muchas doncellas virtuosas que empiezan su historia siendo pobres pero que acaban, al final del cuento o de la novela, siendo ricas.

Que este patrón literario es el que guía la vida e ilusiones de Isidora lo vemos más de una vez en la novela de Galdós. En un diálogo mantenido entre la protagonista y su tía, la «Sanguijelera», dice Isidora:

> ¿Es la primera vez que una señora principal tiene un hijo, dos, tres, y viéndose en la precisión de ocultarlos por motivos de familia, les da a criar a cualquier pobre, y ellos se crían y crecen y viven inocentes de su buen nacimiento, hasta que de repente un día, el día que menos se piensa, se acaban las farsas, se presentan los verdaderos padres? (p. 990a).

En otro momento, cuando Isidora piensa en las posibilidades de trabajo como una de las soluciones a sus problemas también se refiere al mismo patrón:

> ¿Qué cosa más bonita, más ideal, que aquella joven, olvidada hija de unos duques, que en su pobreza fue modista de fino, hasta que, reconocida por sus padres, pasó de

> la humildad de la buhardilla al esplendor de un palacio y se casó con el joven Alfredo, Eduardo, Arturo o cosa tal? Bien se acordaba también de otra que había pasado algunos años haciendo flores, y de otra cuyos finos dedos labraban deslumbradores encajes» (p. 1082a).

Y se pregunta Isidora: «¿Por qué no había de ser ella lo mismo?».

El patrón literario adoptado por Isidora en su deseo de alcanzar la tan anhelada posición de «honestidad» social se repite a menudo en la literatura de consumo. Una novela, sin embargo, escrita en 1868 por doña Faustina Saez de Melgar y titulada *La Cruz del Olivar* es la que, a nuestro parecer, mejor ilustra las ilusiones literarias mantenidas por Isidora[7].

Faustina Saez de Melgar fue una escritora de numerosas obras novelescas y de tratados sobre la educación. Nació en Villamanrique en 1834 y falleció en Madrid el 19 de marzo de 1895. Creó varias instituciones benéficas y educativas y colaboró asimismo en muchos periódicos. También fundó y dirigió el periódico *La Violeta* (1862-1866), el cual fue declarado de texto por Real Orden del 15 de noviembre de 1863. También contribuyó con sus escritos en otro periódico, *Paris Charmant* hasta su muerte.

Las novelas de la señora de Melgar giraban alrededor de temas morales íntimamente vinculados con la mujer. En sus obras propagaba candorosamente el esquema de virtud de la Mujer Virtuosa. Asimismo, consideraba, conjuntamente con sus colegas escritores, que una de las funciones primordiales del escritor, y escritora, era el de mantener al público lector en un permanente estado de vigilia en cuanto a las virtudes morales de la época.

La protagonista de *La Cruz del Olivar* es una doncella virtuo-

---

[7] FAUSTINA SAEZ DE MELGAR: «La cruz del olivar», *Correo de la Moda* (Madrid, 1867), XVII, 682, 15 de marzo de 1867, pp. 77-79; XVII, 683, 24 de marzo de 1867, pp. 85-86; XVII, 684, 31 de marzo de 1867, pp. 92-94; XVII, 685, 8 de abril de 1867, pp. 101-102; XVII, 686, 16 de abril de 1867, pp. 109-111; XVII, 687, 24 de abril de 1867, pp. 116-118; XVII, 688, 30 de abril de 1867, pp. 125-127; XVII, 689, 8 de mayo de 1867, pp. 132-134; XVII, 690, 16 de mayo de 1867, pp. 140-143; XVII, 691, 24 de mayo de 1867, pp. 149-151; y XVII, 692, 31 de mayo de 1867, pp. 157-158. Esta novela, con un estudio introductorio de la autora de este libro, ha sido publicado en forma de Anejo por *Anales Galdosianos* (1980).

sísima llamada María. De niña, María había sido rescatada del barro por los guardas del palacio de un conde. Gracias al buen corazón y generosidad de uno de los guardas, la niña pudo subsistir bajo su amparo protector y paternal. Para desgracia de la niña, el guarda era un hombre pobre, sin mayores recursos económicos que pudieran ofrecerle una vida desprovista de hambres y penurias. La autora hace hincapié varias veces en la vida de sufrimientos de la muchacha, vida que María, como toda doncella virtuosa, acepta con humildad y hasta con resignación.

Al final de la novela, como era de esperar, se descubre que María no es en realidad María sino Lucía, y que su origen no es el de la pobreza, sino el de la nobleza. Lucía es la hija del conde propietario del palacio a quien, hasta este momento, la habían dado por perdida. El conocimiento de su linaje le permite casarse con un muchacho noble del que había estado secretamente enamorada y el resto de sus días lo pasa en un ambiente de lujo en compañía de un marido dulce, noble y rico. La moraleja de esta historia feliz es dicha nada menos que por doña Chiripa, mujer del pueblo: «la virtud siempre paga».

Como es evidente por el breve resumen de esta novela aquí presente, los sueños de Isidora se pueden comparar a la resolución de la historia de María, o de Lucía. Las ilusiones que la impulsan a entablar juicios legales con la casa de la marquesa de Aransis, o a confrontarse con toda una sociedad que se burla de sus sueños, se basan en la creencia de Isidora de que al final de su historia —como el de las protagonistas literarias— su verdadero origen aristocrático saldrá a relucir.

Ahora bien, además del tema básico de la historia de María, existen otros elementos en la novela de la señora De Melgar que también han sido adaptados por Isidora a su propia vida, o mejor dicho, a la visión —deformada, si se quiere— de la vida. Para empezar, la referencia al lunar que Isidora podría tener para comprobar la veracidad de su alta alcurnia tiene sus antecedentes en *La Cruz del Olivar*. El reconocimiento del origen verdadero de María se verifica por medio de una mancha roja que la heroína virtuosa posee en el hombro izquierdo y otro en el derecho.

En el segundo elemento literario adoptado por Isidora Rufete radica tal vez el aspecto más importante en la personalidad de la protagonista y el menos comprendido por los críticos que se han aproximado a la novela: la actitud clasista de la hermosa muchacha. Recuérdese el gesto de desprecio de Isidora hacia un pueblo considerado por la misma como «repugnante». Frente a Juan Bou proyecta la misma actitud de indiferencia y hasta de desprecio por un hombre marginado de las clases privilegiadas a las que aspira llegar Isidora algún día. Cuando Agustín Miquis le sugiere un enlace matrimonial con Bou como una posible solución a su vida problemática, la reacción de Isidora hacia esta sugerencia es una de rechazo total, como lo comprueba el gesto con que responde a tal idea, «Isidora hizo un movimiento de repelar cosa muy nauseabunda..., y puso una cara..., ¡Jesús, qué cara!» (p. 117b).

La actitud clasista de Isidora es compartida por la autora de *La Cruz del Olivar*, y decimos por la autora y no por la protagonista porque es doña Faustina Saez de Melgar la que, a través del narrador omnisciente, proyecta todo un mundo ficticio basado en la superioridad de las clases privilegiadas. El rechazo de Juan Bou y del pueblo por parte de Isidora se refleja en el caso de María en su rechazo de Anselmo —pretendiente humilde de la bella y virtuosa protagonista—. Al final de la novela lamenta éste sus esperanzas perdidas al comprobar el amor de María por el hermoso y rico marqués.

El concepto de la nobleza emparentada con la apariencia física es otro de los aspectos que Isidora comparte con la actitud de la escritora. Para Isidora, su hermosura era el producto lógico de su nacimiento noble así también como el don del buen gusto que la distinguía. Un ejemplo de esta actitud lo encontramos en el momento en que Isidora, pobándose unos magníficos vestidos en el taller de Eponina, se queda embelesada contemplando su propia belleza. Ante la hermosa figura reflejada en el espejo dice: «Ella era noble por su nacimiento, y si no lo fuera, bastaría a darle la ejecutoria su gran belleza, su figura, sus gustos delicados, sus simpatías por toda cosa elegante y superior» (p. 1122b). En otro momento, antes de la visita a la marquesa de Aransis, la encontramos también frente al espejo contemplando su hermosa figura. De la descripción que ella misma se hace sobre su persona, leemos: «Sus ojos eran pardos y de un mirar cariñoso, con somnolencias de siesta o fiebre de insomnio, según los casos; un mirar que lo expresaba todo, ya la generosidad, ya el entusiasmo, y siempre la nobleza» (p. 1059b).

La señora de Melgar escribe sobre la belleza de María antes de que se descubra su origen noble con las siguientes palabras: «Al ver la espléndida hermosura de María encerrada en tan pobre estancia, no podía menos de sentirse una profunda admiración. Su rostro de ángel, y la expresión noble y pura de su fisonomía, demostraban que no podía pertenecer a tan humilde clase»[8]. El marqués, al mirar a la que será su futura esposa por primera vez se siente impresionado ante los ademanes nobles con los que se conduce una pobre campesina:

> Aquellos ojos, aquel rostro de facciones finas y delicadas, aquel aire de dignidad y de nobleza le parecían extraños en una campesina; sus modales no eran los estudiados ademanes de una coqueta sino la distinción del que ha nacido en buena cuna[9].

Enrique, hermano del marqués, va a visitar a María en momentos en que ésta se encuentra enferma. Sin tener conocimiento de sus orígenes nobles se sorprende ante la noble figura de la doncella virtuosa. Escribe la señora de Melgar: «Había tanta majestad y tanta nobleza en la poética figura de María, que imponía sin pretenderlo un respeto involuntario. Enrique se hallaba fascinado por aquella mirada dulce y serena, por aquel aire de inocente candor y de sencillez, al propio tiempo que de suprema dignidad»[10].

Como se puede ver, la ideología básica de la historia, resumida en su moraleja «la virtud siempre paga» está íntimamente ligada al concepto de clases. La implicación es que la nobleza, por definición, incluye una determinada fisonomía y un estado emocional específico que concuerdan con la posición social superior del individuo. Teniendo esto en cuenta, es evidente de que Isidora, muchacha inteligente, ambiciosa y ávida consumidora de

---

[8] *Ibid.*, p. 92.
[9] *Ibid.*, p. 93.
[10] *Ibid.*, p. 142.

obras literarias, comprendiera las raíces descriminatorias que promovían los valores clasistas y los adoptara como un medio eficaz de escalar los diversos peldaños sociales. Esto justifica, en gran parte, la actitud de desdén y de rechazo de la protagonista hacia el pueblo, actitud que expresa con toda claridad en la siguiente frase: «¡Qué odioso, qué soez, qué repugnante es el pueblo!» (p. 991b).

Tomás Rufete, padre de Isidora, y Santiago Quijano Quijada, tío lejano, contribuyen aún más a las fantasías literarias de Isidora —fantasías en las que ellos mismos creían— especialmente aquellas que apoyaban sus aspiraciones socio-económicas, basadas en las divisiones de clase. El señor Muñoz y Nones describe al tío de Isidora con las siguientes palabras: «lo extraño es que siendo medianamente instruido, creyese en influencias de las estrellas, en barruntos y aún en maleficios. Escribía clásicamente, leía novelas, era muy apasionado de las cosas aristocráticas...». Como resultado, las ideas del canónigo relacionadas al estado de su sobrina y las de la literatura de consumo comparten muchas semejanzas. Hasta casi se podría concluir de que las ideas de don Santiago podrían haber sido obtenidas literalmente de alguna de las muchas obras del *Correo de la Moda* o de *La Guirnalda*, para citar sólo dos ejemplos.

El concepto del lunar, o la «mancha del cuerpo» mencionada por el canónigo a Isidora proviene de la literatura. En una de las cartas de Quijano a su sobrina le recomienda que de no reconocerla la marquesa, le conviene que se registre bien el cuerpo «a ver si tienes en él algún lunar o seña por donde la marquesa venga en conocimiento de que eres hija de su hija». Continúa don Santiago con: «yo he leído casos semejantes, en los cuales un lunarcillo, un ligero vellón o cosa así han bastado para que encarnizados enemigos se abrazaran» (p. 1069a).

El contenido de la carta, a la cual pertenece la cita recién mencionada, incluye otros elementos importantes por su semejanza con los ideales promovidos por la literatura. Nótese particularmente la sección en que menciona detalladamente los diferentes aspectos que la protagonista debe cuidar cuando alcance su nuevo estado en el marquesado:

1. no gastes demasiado dinero;
2. no seas vanidosa;

3. haz limosnas;
4. instrúyete;
5. aprende de la cocina francesa;
6. adopta la vestimenta y otras particularidades del extranjero; y
7. cásate dentro de tu propio rango.

El aspecto número siete es característico de la actitud clasista del canónigo y de la literatura de consumo. El contexto de la carta y la actitud del tío de Isidora frente al futuro estado de la protagonista nos lleva a la conclusión de que el «propio rango» de Isidora al que se refiere el buen hombre es el rango de la aristocracia.

Otro aspecto interesante de la carta, un poco fuera del contexto de clase (aunque no del elemento literario-popular), se refiere a la vida conyugal que debe llevar Isidora en el momento en que llegue a ser una marquesa virtuosa. De acuerdo al tío, dado los tiempos en que viven, es inevitable de que el futuro esposo de Isidora caiga en la infidelidad, haciéndole a la esposa una vida miserable. La actitud de la esposa ultrajada, insinúa el escritor, debe ser en ese caso una de recatamiento y sufrimiento. En ningún momento debe, ni siquiera con el pensamiento, pagarle con la misma moneda:

> A su poligamia contesta con tu castidad, a su lascivia con tu abstinencia. Aguanta, resiste y no degrades tu corazón dándolo a algún mequetrefe... Consérvate digna, recatada, siempre señora inexpugnable (p. 1070b).

Galdós en *La desheredada* rechaza los valores literarios adoptados por Isidora. Principalmente repudia el escritor aquellas ideas literarias de las que se vale la muchacha en su deseo ambicioso de trepar la escala social —ideas que se concentran en el sueño del marquesado de la casa de los Aransis. En las fantasías de Isidora, y en su inhabilidad de aceptar la realidad tal cual es radica, según Galdós, la «imperfectísima condición moral» de la Rufete.

La actitud de Galdós frente a los valores literarios de Isidora se proyecta en la postura de cuatro personajes galdosianos: la famosa tía de Isidora, «la Sanguijelera», el práctico y generoso doctor Augusto Miquis, el loco Canencia y el honorable hombre de ley, Muñoz y Nones. Denuncian los cuatro la presencia y la influencia de la literatura en el personaje central. «La Sanguijelera», al recriminarle a su sobrina lo absurdo de sus sueños, le dice: «Me parece que tú te has hartado de leer en esos librotes que llaman novelas. ¡Cuánto mejor es no saber leer!». Para «la Sanguijelera», la mujer debe mantenerse en un estado de ignorancia por ser ésta la única manera de evitar las tentaciones a que puede conducir la lectura de la mala literatura: «Mírate en mi espejo. No conozco ni una letra..., ni falta. Para mentiras, bastantes entran por las orejas» (p. 990a). Esta última cita no deja de tener un cierto elemento de ironía si se le compara a expresiones semejantes que se encuentran en las obras populares. Doña Patrocinio de Biedma en una novela escrita en series en la *Revista de España*, titulada «El testamento de un filósofo», escribe: «Nuestros antepasados no obraban a ciegas al sostener a la mujer en la ignorancia: ésta tiene su perfume y su poesía, la inocencia»[11].

Miquis diagnostica la enfermedad moral de Isidora —enfermedad que le impide ver la realidad tal cual es— como una «llaga» y a la idea del marquesado como un «cáncer» (p. 1116b). El notario Muñoz, como Miquis, considera a Isidora enferma, y al concepto del marquesado como una «idea absurda» obtenida de sus lecturas diarias. No deja de llamar la atención, sin embargo, el uso que Miquis hace de fuentes literarias en su deseo de ayudar a la desgraciada muchacha. La primera referencia se encuentra cuando el médico en su deseo de aproximarse al infortunio de Isidora parece aceptar, a medias, la realidad de sus sueños: «entendámonos —le dice Agustín a Isidora—, si tus derechos no son una farsa, si hay algo de serio y legítimo en eso, enhorabuena, que siga adelante tu pleito... ¿Que ganas el pleito? Pues bien; te embolsas tu herencia y sigues...» (p. 1118a). La segunda referencia se encuentra cuando Miquis le describe a Isidora su futura esposa, la hija de Muñoz y Nones. Los adjetivos utilizados en la descripción de la novia de Agustín presentan paralelismos semejantes a los del personaje femenino de la literatura popular: «esta que ves aquí es mi salvaguardia...; es mi patrona, mi abo-

---

[11] PATROCINIO DE BIEDMA: «El testamento de un filósofo», *Revista de España* (Madrid, 1874), año XXX, tomo 156, p. 525.

gada, mi Virgen del Amparo. Por ésta... Dios mediante, me libro del peligro de tenerte ante mí, y me hago un señor héroe, y atropellando por todo, te doy la batalla y te venzo y por fin me salvo» (p. 1118b).

Para Galdós, los sueños de Isidora no pueden ser aceptados porque tienden a apoyar una falsa democracia. Para el escritor, esta actitud era en parte responsable del proceso de descomposición moral de España. Repetidas veces expresa Galdós sus sentimientos de descontento ante la «moneda falsa de la igualdad» (p. 1026b), que, según el crítico Antonio Riuz Salvador, se define como «el materialista interés vertical —común denominador de los españoles— de querer trepar en la escala social a toda costa y por cualquier medio»[12]. Según Galdós, estos sentimientos empezaban a dominar en la sociedad madrileña produciendo en lugar de una verdadera democracia, una «confusión de clases». La ansiedad de la tía de Isidora, doña Laura, de que sus hijas establezcan matrimonios con personas fuera de su clase, refleja las inquietudes de Galdós con respecto a la mezcla de clases:

> Con ser tipos perfectos de la miseria disimulada, las niñas de don José se habrían horrorizado de que se les propusiera casarse con un hábil mecánico, con un rico tendero o con un propietario de aldea. Doña Laura misma, hecha ya al vivir miserable... no pensaba en alcanzes denigrantes. Sus ilusiones eran que Emilia se casase con un médico... y a Leonor... le vendría bien un oficial de Estado Mayor, de Ingenieros, a cosa así (p. 1026b).

La misma postura de la madre la tenían las hijas. Las niñas de Relimpio, en su comportamiento en el «paraíso» del teatro Real, querían demostrar una superioridad de clase de la cual carecían. Ellas, no obstante la semejanza de clase que compartían con los otros espectadores del «paraíso», se «daban una importancia colosal, aparentando lo que ni en sueños podían tener» (p. 1026b).

En una descripción de Madrid en los días de fiesta proyecta

[12] ANTONIO RUIZ SALVADOR: «La función del trasfondo histórico en *La desheredada*», *Anales Galdosianos*, vol. I, n.º 1, año I, 1966, p. 57.

Galdós otra vez su actitud frente al nuevo concepto de clases que se estaba desarrollando especialmente en Madrid y el cual prescindía de valores positivos en su formación. Dice Miquis:

> Aquí, en días de fiestas, verás a todas las clases sociales. Vienen a observarse, a medirse y a ver las respectivas distancias que hay entre cada una, para asaltarse. El caso es subir al escalón inmediato. Verás muchas familias elegantes que no tienen que comer. Verás gente dominguera que es la fina crema de la cursilería, reventando por ser otra cosa... Todos se codean y se toleran todos, porque reina la igualdad. No hay ya envidia de nombres ilustres, sino de comodidades (p. 1002a).

En los labios del sabio y loco Canencia, en el manicomio de Leganés, manifiesta Galdós su postura ante las consecuencias desastrosas de esta aparente, aunque falsa, democracia:

> Una de las enfermedades del alma que más individuos trae a estas casas es la ambición, el afán de engrandecimiento, de envidia que los bajos tienen de los altos, y eso de querer subir atropellando a los que están arriba, no por la escalera del mérito y del trabajo, sino por la escalera suelta de la intriga, o de la violencia, como si dijéramos, empujando, empujando... (p. 980a).

La inmoralidad de Isidora radica en querer contribuir, a través de su loca ambición, a la falsa democracia que empezaba a minar la fibra moral de España. Muñoz y Nones verbaliza la ideología galdosiana, de la época de *La desheredada*, cuando confronta a Isidora con el descubrimiento de la falsificación de su partida de nacimiento. Después de presentarle realísticamente la verdad de su nacimiento, le sugiere la única solución que, para el notario, podría brindarle a la protagonista algunos vestigios de felicidad: el vivir una existencia «humilde y sin los desasosiegos de la ambición» (p. 1151b). Como era de esperar, y sin que sorprendiera a nadie, Isidora se niega rotundamente a aceptar la pobreza como única alternativa de su existencia. Recurriría a la muerte, o a la prostitución, antes que aceptar la idea sugerida por Muñoz.

Es evidente de que la sugerencia brindada por el honorable y dignísimo notario representa la solución más práctica a la problemática existencial de Isidora. Evidente también es, sin embargo, el hecho de que Galdós demuestra, con esta solución, un acercamiento a los prejuicios de clase de los escritores de obras de consumo. Lo que le interesa a Galdós, conjuntamente con sus colegas escritores, es el mantenimiento de los papeles tradicionales de la mujer, y de las clases, a través de la mujer.

Para empezar, un análisis comparando los valores proyectados en la obra popular y *La desheredada* indica que Galdós juzga negativamente la ambición pero sólo cuando ésta está relegada a la mujer. En el tercer capítulo de esta tesis se ha desarrollado la actitud negativa mantenida por la sociedad hacia la mujer «ambiciosa» que en la literatura popular equivale al atributo moral de la mujer que la impulsa a querer cosas para sí misma. Recuérdese de que las características de la mujer ambiciosa eran, entre otras, su «falta de sentido común» y su deseo de salirse de patrones tradicionales en busca de experiencias que satisfagan estas ambiciones. Doña Patrocinio de Biedma escribe sobre la inmoralidad del lujo en la mujer en una obra suya titulada, «La dama del gran mundo»[13]: «El lujo es una de las inutilidades más necias, más vacías de sentido, más dolorosamente ridículas que [se] han producido...».

Isidora Rufete, apoyada en sus ilusiones del marquesado, es la personificación de la ambición expresada en sus ansias de lujo. En una de sus famosas anticipaciones a la visita de la marquesa de Aransis construye mentalmente el mundo lujoso de la aristocracia en el cual ella, Isidora, podrá finalmente vivir al estilo que siempre había anhelado. Escribe Galdós: «Vióse repentinamente transportada a las altas esferas que ella no conocía sino por ese brillo lejano, ese eco y ese perfume tenue que la aristrocracia arroja sobre el pueblo. Vióse dueña del palacio de Aransis, mimada, festejada y querida» (p. 1059a). Después de hacer planes

---

[13] DA. PATROCINIO DE BIEDMA: «La dama del gran mundo», *Las mujeres españolas, americanas y lusitanas* (Barcelona, ed. de Juan Pons, 1881), p. 22.

sobre las diferentes actividades a las que se ocuparía en su nuevo estado, como «socorrer pobres, vestir desnudos y consolar afligidos y menesterosos» vuelve otra vez su imaginación al mundo de las riquezas y del lujo». Aún más: Isidora, apoyada en sus ilusiones del marquesado, no sólo ambiciona la riqueza de los Aransis sino que los considera suyos —por naturaleza—. En el capítulo titulado «Insomnio número cincuenta y tantos» recapacitando sobre el palacio que había visitado aquel día exclama: «¡Qué hermoso palacio, Dios de mi vida! ¡Cuánto había costado todo aquéllo! ¡Pensar que es mío por la Naturaleza, por la ley, por Dios y por los hombres!» (p. 1037b). La ambición de Isidora que no sólo anhela lo ajeno sino que lo considera suyo —por derecho divino y de los hombres— es la inmoralidad de las protagonistas no virtuosas de la literatura popular llevada hasta el punto de la temeridad y del atrevimiento.

Otro aspecto a través del cual Galdós se aproxima a la ideología moralizante de la literatura popular radica en la ambición de la mujer vista a través del matrimonio. Recuérdese que uno de los métodos utilizados por las anti-heroínas ambiciosas de la literatura para lograr el tan codiciado estado económico que les brindara una vida de riquezas era a través del matrimonio con una persona de clase más elevada. En un cuento titulado «El día más feliz de la vida», se considera a los matrimonios «de conveniencia» una «parodia repugnante y sacrílega de la más santa y social de las instituciones»[14]. A la mujer que comete tal inmoralidad «uniéndose sin amor a un esposo rico» se le considera «peor que la más miserable prostituta», porque «además de engañar a un hombre a quien se vende por un puñado de oro, ofende a la divinidad».

Galdós rechaza la ambición en la mujer que mira al matrimonio como un vehículo de promoción social. Para él, la felicidad conyugal y la armonía entre dos seres unidos por el matrimonio puede ser una experiencia positiva, especialmente para la mujer, siempre y cuando marido y mujer pertenezcan al mismo nivel socio-económico. Un ejemplo concreto de esta actitud de

[14] Anón.: «El día más feliz de la vida», *El Vergel de Andalucía*, tomo 1, n.º 10, 21 de diciembre de 1845, p. 77.

Galdós frente a la «más santa y social de las instituciones» se encuentra en el matrimonio entre Emilia Relimpio y Juan José Castaño. A este enlace lo encuentra «proporcionado y acertadísimo» (p. 1120a). El elemento de proporción radica, para Galdós, en que ambos son miembros de la misma clase social y que, por tanto, comparten ambos valores semejantes. Sobresalen, especialmente aquellos relacionados al trabajo, al orden doméstico y a la moralidad.

De aceptar la mujer con resignación y hasta con humildad su estado social en la vida, recibirá recompensas semejantes a aquellas establecidas en la literatura de consumo. Emilia Rufete, arraigada en su propio estado social, aceptándolo y hasta queriéndolo, adquiere un sentimiento de paz y de felicidad junto a un marido sencillo, bueno y cariñoso —para utilizar los mismos adjetivos que Galdós usa en la descripción de Castaño—. La imagen de una Emilia feliz en su matrimonio se proyecta en la descripción de Galdós:

> En su pacífica y laboriosa vida, Emilia... se había curado de aquellas tonterías de aparentar y suponerse persona encumbrada. Ni volvió a ponerse sombrero... Poseía un sólido bienestar; ella, su marido y sus hijos satisfacían plenamente sus necesidades, y de añadidura tenían buenos ahorros, un establecimiento de primer orden, y, además, como perspectiva risueña, la hermosa finca de Pinto, con otras riquezas. En suma: Emilia había tomado un magnífico sitio en el anfiteatro de la vida (p. 1120b).

Isidora, por otro lado, representa la antítesis de Emilia —o de todas las Emilias que esperan en actitud de humildad y resignación *la* recompensa a una vida de sacrificios: el matrimonio con un hombre de su propia condición—. Frente a Emilia, símbolo de una vida virtuosa, Isidora representa la condición pecaminosa de la mujer, basada en la ambición.

La ambición de Isidora la destruye, como destruye la ambición a todas las Magdalenas —nombre común entre las antagonistas no virtuosas— de la literatura de consumo. Para Galdós, como para los otros escritores, la ambición sólo se le permite al hombre y especialmente al hombre de la clase media. Juan José Castaño, el hijo del ortopédico y el marido de Emilia representa al hombre típico de esta clase que ambiciona, y consigue, un estado en la vida a través de su trabajo. Escribe Galdós: «Era [José] tan hábil como su padre, y le superaba en inventiva y en asimilarse los descubrimientos y novedades de arte ortopédico. Sostenía el crédito del establecimiento y ganaba mucho dinero» (p. 1120a). A la mujer, en lugar de ambición se le pide resignación y mucho trabajo: trabajo como costurera, al estilo de Emilia. Sólo así conseguirá lograr la misión de su vida a través del matrimonio «siempre que la interesada —escribe Galdós— lo mirase (al matrimonio) al nivel de sus sentimientos y de su porvenir moral y práctico» (p. 1120a).

A pesar de que Isidora posee dos de los valores aparentemente necesarios para adquirir el estado virtuoso de las heroínas literarias, carece del elemento indispensable para alcanzar el estado de perfección moral: la resignación ante su estado social. La «angelicidad» de Isidora —a la que se refiere acertadamente Joaquín Pez— basada en un corazón generoso y en su capacidad sentimental, no es suficiente. Nuestra protagonista es finalmente arrastrada por la vida, a pesar de su generosidad y de su amor por Joaquín, porque no supo —o no quiso— aceptar su condición dentro de la sociedad establecida.

Las consecuencias desastrosas de la ambición en Isidora nos recuerda a otro personaje no virtuoso. Magdalena, en *La mujer adúltera*. En uno de sus sueños se le aparece Enriqueta, quien, como Magdalena, es también adúltera. Le dice Enriqueta a Magdalena:

> Tú, como yo, rechazaste la dulce armonía, la envidiable tranquilidad del hogar doméstico. Tú, como yo, despreciaste lo más sagrado que existe sobre el polvo de la tierra para la criatura: el honor. Tú, como yo... [pusiste] a sueldo tu hermosura, buscaste el lujo, el esplendor, la opulencia cuando te hallabas en el seno de la virtud. Tú, como yo, estás maldita, y como yo, expiarás tu culpa hora tras hora, día tras día, año tras año...[15].

[15] ESCRICH: *La mujer adúltera*, tomo II, p. 194.

La destrucción de Isidora toma lugar precisamente porque no quiere dar cabida, en su vida, a aquellas alternativas que, en nombre de la virtud, le presenta la sociedad. Estas alternativas las ha resumido el crítico Robert Russell en cuatro posibilidades: 1) enlace matrimonial con Miquis; 2) una carrera decente como costurera; 3) matrimonio con Bou; y 4) una pensión de Miquis. Para Russell, de haber Isidora optado por una de estas posibilidades habría encontrado la solución inmediata a sus problemas existenciales[16].

A nuestro parecer, ninguna de estas posibilidades presenta alternativas realistas para Isidora, especialmente si se considera la visión literaria que de la vida mantenía la ambiciosa muchacha. La primera —un matrimonio con Miquis— no fue jamás una alternativa para Isidora. Miquis la estimaba y la encontraba hermosa, pero nunca le ofreció seriamente matrimonio. Por el contrario, siguiendo la actitud de Galdós, tal y cual se proyecta en *La desheredada*, no llama la atención de que Agustín Miquis se casara precisamente con la hija de otro personaje de la clase media profesional de donde venía Agustín, el honorable notario Muñoz y Nones.

Con la segunda alternativa, habría que cuestionar el significado otorgado por el señor Russell a tales palabras como «carrera» y «decente» especialmente si se consideran seriamente las condiciones de trabajo y los salarios mínimos otorgados a las costureras en el siglo XIX[17]. El matrimonio con Bou —tercera

[16] ROBERT H. RUSSELL: «The Structure of *La desheredada*», Modern Language Notes, vol. LXXVI (1961), p. 797.

[17] Montesinos, en su tomo II de *Galdós*, se refiere a la explotación de las mujeres dedicadas a la costura en el siglo XIX en España, en los siguientes términos: «Las condiciones del trabajo de la mujer en España, y aún fuera de España, por estas kalendas eran algo indescriptibles; en España lo eran tanto más cuanto que la pobretería castiza no hubiera permitido de todos modos otra cosa». Más adelante en la misma página continúa Montesinos: «era increíble lo que ganaba una de estas pobres chicas para dejarse la vista en unos vestidos, y aún trabajando en un taller, para una maestra que no la «protegiese», el rendimiento económico no era mucho mayor». Según el crítico, muchas de las jovencitas que empezaban siendo costureras, terminaban en la prostitución, «pues si en todas partes el trabajo de la mujer se pagaba mal, la prostitución, pasados los montes, podía dar resultados increíbles» (p. 101).

posibilidad— hubiera sido imposible, dadas las ambiciones socioeconómicas de la muchacha. La pensión de Miquis —última posibilidad— como ella mismo lo dijo, hubiera acabado inevitablemente en una relación ilegítima a la que el médico se hubiera negado en nombre de la defensa de la institución del matrimonio: su matrimonio.

La única alternativa que para Isidora hubiera tenido un sentido especial en su vida —dados los valores literarios con los que se había criado— le estaba prohibida. Y le estaba prohibida por una sociedad que creía en el concepto de la armonía social basado en una estructura rígida de las diferentes clases, especialmente si estas clases eran aquellas marginadas de las clases privilegiadas. Frente a esta sociedad, el lamento de Isidora repercute con una sobriedad desgarradora: «¿Qué es mejor, ser una piedra, que se está donde la ponen, o ser una criatura racional que quiere ir a alguna parte?» (p. 1118). Es evidente que para Galdós, la única manera en que una mujer puede «ir a alguna parte» es a través de los conductos tradicionales: el matrimonio y la familia [o la procreación]. En otras palabras, a través de las virtudes proyectadas en la Mujer Virtuosa de la literatura de consumo.

La historia de Isidora representa, entonces, la historia de aquellas mujeres que se pierden no necesariamente por el consumo de obras literarias ni tampoco porque leen muchas de estas obras. La caída de Isidora es simplemente el resultado de no haber querido comprender que los valores contenidos en sus lecturas propagaban precisamente la antítesis de lo que ella más ansiosamente anhelaba: una movilidad vertical que le brindara la comodidad y los lujos de las clases privilegiadas. La historia de Isidora es, en otras palabras, la historia de una muchacha pobre y ambiciosa, embarcada en un proceso de autodestrucción por haber asimilado valores equivocados. Al no querer aceptar su posición en la vida, la desgraciada Isidora no pudo gozar los beneficios de una vida plácida, en compañía de un buen hombre, desempeñando el «sacerdocio» o la «misión de su vida».

7. Amparo de Emperador: «La honradez depende de los medios de poderla conservar»

> Siempre se ha creído que la familia es la base de la sociedad, y que la mayor parte de los males que agitan a ésta provienen de las disensiones de aquélla. La buena organización de la familia es causa de la buena organización de una sociedad, y más de una vez encontramos el origen de una decadencia social en la desmoralización del hogar doméstico, ya por el envilecimiento de la esposa, ya por las excesivas atribuciones del padre. Los moralistas han hablado mucho de esto: también los poetas han intentado estrechar, invocando el sentimiento, los sagrados lazos de la familia, y la mitad de las comedias que el teatro moderno nos presenta, encierran en su plan este importante fin.
>
> Benito Pérez Galdós: *La Nación*, 29, IV, 66.

Tormento, novela escrita tres años después de *La desheredada*, proyecta, una vez más, la postura de Galdós frente a la imagen de la Mujer Virtuosa de la literatura burguesa de consumo. Partiendo de una realidad socio-económica específica —la clase media baja— proyecta Galdós lo ineficaz de algunas de las virtudes del código moral promulgado por la Mujer Virtuosa, cuando van éstas antepuestas a la «verdadera» condición de la mujer pobre y no a una condición abstracta. A través de Amparo y Refugio de Emperador, rechaza el novelista aquellos valores morales literarios que, con pretensiones de glorificar la pobreza, le niegan a la mujer pobre una participación honesta en la sociedad. Aún más: critica Galdós aquellas virtudes que impiden el perfeccionamiento moral de la mujer pobre creando, en su lugar, un estado de conflicto espiritual y moral imposible de reparar.

En el capítulo anterior señalamos la postura de Galdós frente a los valores morales de la obra de consumo, a través de su protagonista, Isidora Rufete. También vimos las diferencias entre los valores proyectados en la obra de Galdós y la obra de consumo. Al mismo tiempo, se señalaron aquellos aspectos que aproximan al escritor al código de la virtud proyectado en la imagen de la Mujer Virtuosa, llevándonos a la conclusión de que el Galdós de *La desheredada* compartía con sus colegas escritores valores importantes vinculados a la ideología clasista y anti-feminista que prevalecía en la España de mediados y fines de siglo.

Entre la época en que Galdós escribió *La desheredada* y *Tormento* han transcurrido tres años —tres años que no pasaron en vano—. En esta segunda novela, la distancia entre Galdós y la literatura de consumo está más claramente establecida así como también la actitud del novelista frente a la ideología de la Mujer Virtuosa. La proximidad que vimos en la primera novela se ha transformado en la segunda y en su lugar nos encontramos con el autor de *Tormento* en una actitud de parodia frente a toda la industria folletinesca y frente a algunos de los valores que componen el código de la virtud femenina de la literatura de consumo. Alfredo Rodríguez, en su crítica de esta segunda obra, escribe sobre el elemento de parodia en *Tormento*: (a través) «de la confrontación de distingo entre la fabulación hiperimaginativa (folletinesca) y la novelización realista... [Galdós] consigue destacar el juicio negativo que pretende, haciendo risible—en el contraste— el procedimiento artístico que le sirve de blanco»[1].

Empieza la novela con una especie de primer acto de teatro, de tono melodramático, donde dos personajes embozados se encuentran en la oscuridad de una noche. Después de reconocerse con grandes voces de regocijo, resultan ser Ido del Sagrario, ayudante de escritor de novelas de folletín y Aristo, sirviente de Agus-

---

[1] ALFREDO RODRÍGUEZ: *Aspectos de la novela de Galdós* (Almería, Artes Gráficas Almería, 1967), pp. 79-80.

tín Caballero. Con esta ingeniosa presentación, introduce Galdós el marco folletinesco que servirá de base para el resto de la novela.

Ido del Sagrario es un personaje caricaturesco: es cándido y loco de remate —elementos ambos que contribuirán a su inhabilidad de poder distinguir la «realidad» de la «fantasía» o de la «imaginación». No sólo cree Ido literalmente las ideas obtenidas en sus lecturas de las obras de folletín sino que las internaliza de tal manera que le impiden ver la realidad tal cual es. Aún más: invierte del Sagrario el concepto de la literatura como reflejo de la realidad para llegar a la conclusión de que la vida refleja la literatura.

Con la ironía que caracteriza esta novela, nos presenta Galdós a un personaje, caricaturesco, cuyos medios de vida radican en la producción de novelas de folletín. En Ido satiriza Galdós a todos aquellos escritores que se dedican a la producción de obras semejantes a las de Ido y a toda la industria de literatura consumista. La ironía se intensifica aún más cuando nos damos cuenta de que Ido personifica, por otro lado, al público cándido, ingenuo, ávido consumidor de novelas de folletín que cree, al pie de la letra, lo que lee y, en el caso específico de Ido, lo que escribe.

Las explicaciones que Ido da a Aristo de su nueva profesión como ayudante y colaborador de novelas de folletín, pueden resumirse en el siguiente esquema:

1. Introducción de la idea de su nueva ocupación como «creación» literaria y de la novela de folletín. El novelista, en el papel de «productor» de obras literarias, obtiene en la sociedad un lugar de gran estima.
2. Introducción al tema de la relación entre el «autor» de novelas de folletín y sus «ayudantes».
3. Introducción del aspecto económico en la «producción» literaria de las novelas de folletín.
4. Introducción de los diferentes tipos de novelas de folletín.
5. Introducción del carácter sentimental de las novelas de folletín.
6. Introducción del tema principal alrededor del cual se produce la mayoría de las novelas de folletín de la época: la mujer virtuosa pobre, asediada por las fuerzas del mal proyectadas en la lascivia de los hombres que la rodean. Sobre este último aspecto leemos:

> Dos niñas bonitas, pobres, se entiende, muy pobres, y que viven con más apuro que el último día del mes... Pero son más honradas que el Cordero Pascual. Ahí está la moralidad, ahí está, porque esas pollas huerfanitas, que, solicitadas de tanto goloso, resisten, valientes, y son tan ariscas con todo el que les habla de pecar, sirven de ejemplo a las mozas del día. Mis heroínas tienen los dedos pelados de tanto coser, y mientras más les aprieta el hambre, más se encastillan ellas en su virtud[2].

Apoya Ido el concepto básico de la ideología proyectada *ad nauseum* en la literatura burguesa: la pobreza como una característica «intrínseca» de la honradez. La finalidad de este concepto, mencionada ya en otra parte, es la de propagar la idea de que la pobreza virtuosa es el estado perfecto al que debe aspirar la mujer, especialmente la mujer del cuarto estado y la del proletariado. Dentro de este marco ideológico coloca el ayudante a sus protagonistas. La descripción de ambas reflejan características semejantes a las de las heroínas virtuosas de la literatura burguesa. Son bonitas y sobre todo son pobres. Este segundo elemento se repite tres veces, aunque con una cierta variedad en la última referencia: «[son] pobres, se entiende, muy pobres» y «viven con más apuro que el último día de mes» (p. 1464b). La belleza y la pobreza están supeditadas solamente por una tercera característica: la honradez. La honradez, además de calificar el estado de pobreza de las dos muchachas, representa, para Ido, como para los otros escritores analizados en capítulos anteriores, la condición moral que evita que las hermosas doncellas cometan el pecado de fornicación fuera del matrimonio.

Siguiendo la temática de la Mujer Virtuosa, las heroínas de Ido no sólo soportan la pobreza con dignidad —a pesar de morirse de hambre y de tener «los dedos pelados de tanto coser»— sino que, como resultado de su estado de miserias, viven rodeadas de un sentimiento de paz. Esta condición de tranquilidad, de bienestar espiritual, se expresa en el ambiente armónico que las rodea. Nótese el uso del diminutivo con el que el ayudante des-

---

[2] Benito Pérez Galdós: *Tormento*, tomo IV, p. 1464b.

cribe, cariñosamente, el mundo de las muchachas: «El cuartito en que viven es una tacita de plata. Allí flores vivas y de trapo... Por las mañanas cuando abren la ventanita que da al tejado...» (p. 1464b).

Para terminar el conjunto, coloca Ido a los dos enemigos de la virtud femenina. En primer lugar, tenemos a un grupo de hombres ricos empeñados en comprar la virginidad —la honradez— de sus heroínas. El segundo enemigo se proyecta en la persona de una mala duquesa. La función de este personaje antagónico a la pureza de las primeras es la de tratar de perder a las virtuosas muchachas a causa de la envidia que siente por la hermosura de ambas.

Ido del Sagrario se ha basado, para escribir sus novelas, en el conocimiento que en la vida «real» tiene de dos muchachas, vecinas suyas: Amparo y Refugio. Ambas comparten, según Ido, algunas de las características de las heroínas virtuosas, especialmente aquellas basadas en su orfandad y en su juventud. En oposición a las dos doncellas folletinescas, sin embargo, las dos muchachas distan mucho de ser una copia exacta de la protagonista virtuosa, como lo sabe muy bien Ido. Lo interesante de la caracterización «ficticia» de dos seres «de carne y hueso», sin embargo, es que Ido sólo incluye aquellos aspectos de las dos hermanas que directamente las conectan al arqueotipo de la Mujer Virtuosa. Omite el ayudante aquellos otros elementos considerados no virtuosos o anti-virtuosos. Esto lo hace Ido para preservar el aspecto de «poesía» en la obra de ficción, poesía que dentro de este contexto equivale a negar aquellos elementos que podrían escandalizar al público lector y dañar la inocencia de las virtuosas e inocentes lectoras. El mismo lo dice cuando afirma: «Cosas pasan estupendas que no pueden asomarse a las ventanas de un libro, porque la gente se escandalizaría...» (p. 1465b). Pattison se refiere a la postura de Ido sobre la «poesía» de la obra folletinesca cuando escribe: «He [Ido] knows that their real life is not as austerely virtuous as represented in his "volcanic imagination"; yet he refuses to include these derogatory items because they are not poetic»[3].

---

[3] WALTER T. PATTISON: *Benito Pérez Galdós* (Boston, Twayne Publishers, 1975), p. 75.

La actitud de Ido en la primera parte de la novela frente a lo «poético» de la obra de folletín refleja una postura semejante a la de los escritores de mediados del siglo XIX, entre los cuales se incluye al Galdós de la primera época. Recuérdese de que para estos escritores el elemento didáctico de toda obra literaria demandaba que sólo se presentara ante el público (literario o teatral) aquello que lo elevase espiritualmente y que lo estimulase a adoptar, y a mantener, una vida alejada de todo vicio. Se creía entonces de que de presentar ante este público cándido, y hasta inocente, sólo la maldad del hombre, o la maldad antepuesta a la bondad, o la maldad junto con la bondad, el lector, o espectador, llegaría —sin lugar a dudas— a un estado de corrupción moral inevitable e irrevocable.

Lo que Ido no quiso incluir en su obra, sin embargo, se convertirá en la base de la novela de Galdós. El autor de *Tormento*, siguiendo la técnica narrativa de la interposición de una novela dentro de otra novela, «utiliza» a las dos bellas y virtuosas muchachas de la narrativa sagrariana y las transforma en seres «reales». *Tormento* revela, precisamente, el proceso de confrontación entre una «realidad» específica y los valores morales enunciados en la literatura de consumo. Este proceso lo empieza Galdós dándoles nombres a sus protagonistas. Siguiendo la característica galdosiana de nombrar a sus personajes de una manera que reflejen un aspecto, o aspectos, de su personalidad, a la primera la llama Amparo y a la hermana menor, Refugio. Amparo, como su nombre lo indica, es una muchacha que vive en una búsqueda continua de elementos externos que la protegan, que la amparen de su condición de mujer pobre, material y espiritual. La pobreza espiritual de la protagonista es un comentario que se repite a menudo en la obra. Galdós se refiere a ella como una criatura «humildísima y de carácter débil, continuo amarrada al yugo de... protección» (p. 1473b). A la hermana menor la llama Refugio por buscar ésta el refugio y la respuesta a su vida miserable en la explotación de su sexualidad. El hecho de haberles dado a ambas mujeres un nombre que de alguna manera las identifique íntimamente con aspectos diversos de su personalidad y con el ambiente que las rodea, les da a las dos hermanas un toque de realidad.

A continuación toma Galdós una de las virtudes señaladas por Ido como una de las más importantes en el estado honrado de la mujer, la pobreza, y la despoja del brillo y colorido con que se manifiesta en la literatura burguesa. Para conseguirlo, proyecta el escritor los efectos de la pobreza en las dos mujeres, en su más absurda y cruda realidad. En oposición a la literatura sentimental demuestra Galdós que la pobreza es precisamente el resorte que impulsa a la mujer a adoptar una vida de inmoralidad. Decir pobreza, para el escritor de *Tormento*, es decir deshonestidad, es decir debilidad y *no* fortaleza de espíritu como sugieren las novelas folletinescas.

Semejante a las heroínas de José Ido, la condición básica de las dos hermanas galdosianas es su pobreza. Son ambas huérfanas y sin un respaldo económico que les augure un porvenir seguro. Porque ambas se saben pobres se han creado una imagen negativa de sí mismas.

El concepto que ambas mujeres tienen de sí mismas es un concepto carente de todo elemento de integridad y de amor propio. Amparo se piensa a sí misma como un ser sin valía, mientras que Refugio, más asentada en la realidad y por tanto mejor capacitada para verla tal cual es, comprende que la imagen que la mujer tiene de sí misma corresponde a su condición económica: «¿Por qué es una mujer mala? —por la pobreza—» (p. 1497b).

Recuérdese que para Ido el estado de pobreza contribuye a que sus heroínas adquieran una fortaleza de espíritu que las lleva a confrontarse, virtuosamente, a la vida. Para Galdós, las dificultades acarreadas por la pobreza de ambas mujeres producen efectos completamente antifolletinescos. Y no es que las mujeres galdosianas no hayan tratado de imitar la imagen folletinesca de la virtud, ni que no crean en ella. Al contrario, Galdós señala el hecho de que Amparo y Refugio, al verse huérfanas y sin dinero, adoptaron ansiosamente el ideal del trabajo compatible con sus deseos de vivir una vida honrada, a pesar de las dificultades que tal decisión acarreaba para ambas hermanas:

> [ellas] hicieron ese voto de heroísmo que se llama *vivir de su trabajo*. El de la mujer sola, soltera y honrada, era y es una como patente de ayuno perpetuo; pero aquellas bien criadas chicas tenían fe, y los primeros desengaños no las desalentaron (p. 1472a).

Oponiéndose a los valores burgueses que propagaban la idea de que el trabajo realizado por la mujer era suficiente para su mantención, así como también para el mantenimiento de aquellos que dependían económicamente de ella, presenta Galdós una dialéctica opuesta que trata de demostrar lo ilógico de tales pretensiones. Las labores de Amparo y Refugio como «sirvientas-parientes» de la casa de los de Bringas demuestran el empeño vano de ambas de poder adquirir, por medio de un trabajo honrado, una situación económica que las protegiera de la miseria y de angustias monetarias. La realidad cotidiana de ambas mujeres, como ellas mismas lo expresan, atestigua que el trabajo femenino no era suficiente para la mujer pobre y sola.

Tenemos entonces que las dos protagonistas de *Tormento* son mujeres pobres y a Amparo se le podría considerar hermosa. Pero hasta ahí llega la virtud en ambas. Ni Amparo ni Refugio son mujeres fuertes. La pobreza y la falta de preparación para confrontarse con la vida han hecho de ellas seres débiles. Amparo vive una vida denigrante bajo la «protección» de sus parientes. Refugio, quien cree escaparse de ese servilismo se somete a otro estilo de vida que, sin duda, es más denigrante que el de su hermana, dadas las condiciones de la prostitución en el siglo XIX. Amparo misma está consciente de las implicaciones negativas de la decisión tomada por su hermana. Al meditar sobre la nueva «libertad» de la vida de Refugio, se da cuenta que es aún más triste y más peligrosa que la esclavitud en que ella, Amparo, vive.

La diferencia que se establece desde este momento entre las dos hermanas es importante porque a través de ella se establece la discrepancia que existe entre la mujer que se somete a los valores proyectados en el personaje literario de la Mujer Virtuosa (Amparo) y la mujer que reconoce los límites de esos valores en relación a su propia vida y decide, concientemente, rechazarlos (Refugio).

Refugio es la caricatura de la mujer no virtuosa. Es el prototipo de las «Magdalenas» de la literatura burguesa que deciden abandonar a sus «seres queridos» en busca de otras circunstancias que les brinde ya sea una mejor posición económica, relaciones sexuales (satisfactorias), o ambas. Refugio va en busca de lo primero a través de lo segundo. La decisión de Refugio no ha sido, sin embargo, determinada en un momento de ligereza o de capricho. El nuevo estilo de vida de la muchacha ha sido el producto del conocimiento, adquirido a través de experiencias amargas, de que para mujeres de su condición no existe ninguna otra alternativa que las saque de la miseria en que se consumen. Ni siquiera el trabajo puede ampararlas de su pobreza. En un altercado entre Refugio y su hermana mayor, cuando ésta le echa en cara la «inmoralidad» de su nueva vida, le responde Refugio: «¿Pero no he trabajado bastante? ¿De qué son mis dedos? Se han vuelto de palo de tanto coser. ¿Y qué he ganado? Miseria y más miseria» (p. 1497b). Termina Refugio afirmando una realidad que ambas hermanas conocen muy bien: «Asegúrame la comida, la ropa y nada tendrás que decir de mí» (p. 1497b).

Refugio también comprende que, dados los valores clasistas de la sociedad, el matrimonio como una alternativa a su pobreza está negado a mujeres de su nivel socio-económico. Como ella misma lo dice: «¿Qué muchacho decente se acerca a nosotras viéndonos pobres?» (p. 1497b). La palabra «decente» en el contexto de la realidad cotidiana de las dos hermanas significa, como significó para Isidora, un estado económico fuera del alcance de las dos hermanas; en otras palabras, un estado socio-económico solvente. Refugio comprende, como lo comprende su hermana, la estructura clasista de la sociedad española del siglo XIX, en la cual los pobres se casan con los pobres y los ricos, o «decentes», se casan con los ricos. La pobreza de las muchachas elimina, por tanto, cualquier posibilidad de salirse —especialmente a través del matrimonio— de la situación precaria en que habían vivido la mayor parte de su vida.

Amparo, por otro lado, es una mujer débil de carácter. Además de los sinsabores que su debilidad le causa, especialmente en sus relaciones con Rosalía de Bringas, también la llevó, de jovencilla, a tener relaciones ilícitas con Pedro Polo —párroco dado a luz novelísticamente en *El Doctor Centeno*, obra anterior a *Tormento*. Las razones que la impulsaron a establecer esta relación amorosa, de la que más tarde se arrepentirá, nunca se establecen claramente. No sabemos en realidad si fue el resultado de una pasión amorosa experimentada por la muchacha o si se entregó al cura por otras razones, tal vez iniciadas por él. Sobre las consecuencias psicológicas de esta relación en Amparo escribe Montesinos: «por la violencia de él y la pasividad de ella, nos imaginamos aquel ayuntamiento como una serie de actos de brutalidad que dejan, como no podía ser menos, una repugnancia invencible en el alma de la pobre muchacha»[4]. Por último, su debilidad de carácter evitó que Amparo tomara una actitud de agresividad frente a la vida. Montesinos señala la debilidad de la muchacha en los siguientes términos:

> Amparo, siempre la pasividad misma, irresoluta, débil, es lo que otros la hacen ser. Aún en los momentos en que sabe muy bien lo que no quiere, en que sus deseos se aguzan y la incitan a un escape, su medrosidad la inhibe de manera que nunca lo encuentra franco. Esto, en *Tormento*, llega a ser angustiosísimo...[5].

La flaqueza que la caracteriza, sin embargo, no significa que Amparo no comprenda algo de la triste realidad de su vida. Como su hermana, está consciente de la pobreza y del efecto de la pobreza en sus circunstancias. En uno de los primeros diálogos que mantuvo con el que más adelante sería su pretendiente—Agustín Caballero— escuchamos de labios de la protagonista el eco de las mismas palabras pronunciadas antes por Refugio:

> En que condición tan triste estamos las pobres mujeres que no tenemos padres, ni medios de ganar la vida, ni familia que nos ampare, ni seguridad de cosa como no sea de que al fin, al fin, habrá un hoyo para enterrarnos» (p. 1484b).

La muchacha, siguiendo los valores literarios impuestos por la literatura de consumo, encuentra en la idea del matrimonio con Agustín Caballero el pago «lógico» a su vida de sacrificios y de pobreza.

Amparo está familiarizada con los valores burgueses por medio del contacto con las novelas de Ido del Sagrario. Recuérdese el momento en que, al tratar de confrontar la manera de rebelarle a Agustín sus experiencias amorosas con Polo, se refiere a una

---

[4] MONTESINOS: Tomo II, p. 105.
[5] *Ibid.*, p. 103.

de las frases obtenidas de sus lecturas: «yo he sido víctima». Rechaza esta idea, sin embargo, por parecerle demasiado cursi y «se acordó de las novelas de don José Ido» (p. 1528b). Otro instante semejante ocurre cuando está esperando la llegada del veneno con el que pensaba quitarse la vida. En medio de los sentimientos mórbidos de esos momentos, no puede dejar de recordar la semejanza que «aquello tenía con pasos de novela» (p. 1564a).

Las personas que la rodean le recuerdan la presencia de valores literarios semejantes. Bringas, tío lejano de la protagonista, refiriéndose a la buena suerte de la humilde muchacha por haber sabido conquistar el corazón del rico Agustín, le dice: «La verdad, le tienes encantado... Esto se podría titular, "El premio de la virtud". Es lo que yo digo: el mérito siempre halla recompensa» (p. 1530b). Agustín representa otro medio de contacto importante para Amparo con los valores literarios de la Mujer Virtuosa. Para el indiano rico, Amparo era la imagen idéntica de las doncellas virtuosas, como lo comprueba la minuciosa descripción que el enamorado hace de Amparo antes de conocer su pasado. El mayor encanto que Agustín ve en su amada radica en su pobreza. Escribe en una carta dirigida a un amigo: «Me he enamorado de una pobre» (p. 1522b). Otros elementos «virtuosos» que lo atraen al pretendiente radican en su hermosura y en su inocencia. La encuentra además obediente, resignada y sumisa: «la conocí trabajando día y noche, con la cabeza baja, sin decir esta boca es mía» (p. 1522b). Como se puede ver, todas estas cualidades que Agustín aprecia en Amparo son las mismas virtudes que caracterizan a la Mujer Virtuosa.

Por otro lado, el tipo de mujer que rechaza Agustín es el de la antagonista de la literatura de consumo. Representa ésta al tipo de mujer que, por sus ambiciones materialistas y por sus ansias de poder, no acepta su estado en la vida, pretendiendo ser un ser diferente del que su estado socio-económico le permite. Son «las damas que parecen duquesas, y resulta que son esposas de tristes empleados». Rechaza también Agustín a la mujer pobre soberbia, a las que carecen de una «buena educación», a las charlatanas, a las que viven obsesionadas por gastar, por divertirse y por «ponerse perifollos» (p. 1522b). Es evidente de que para Agustín, la mujer que elija como esposa tiene que coincidir, por definición, con el modelo ideal de la literatura burguesa.

La transferencia que Agustín establece del arqueotipo de la Mujer Virtuosa a Amparo, no es totalmente errónea sin embargo. La que pudiera haber llegado a ser su esposa comparte muchas de las virtudes expresadas en la descripción anterior. Amparo es pobre, bella y obediente. Es también poseedora de un «corazón inclinado a todo lo bueno», como ella misma lo expresa, así también como el hecho de que «si algún mérito tenía... era el grande amor al trabajo» (p. 1534a).

Le falta a Amparo, sin embargo, la columna fundamental para ser el dechado de perfecciones, la copia impecable de la protagonista literaria que buscaba Agustín: la castidad. En capítulos anteriores se ha mencionado cómo la ideología de la virtud femenina demandaba la castidad como un requisito absoluto de «honestidad» y de «decencia» en la mujer. De faltarle este elemento tan importante, se hacía ésta inmerecedora de participar en las recompensas otorgadas sólo a las mujeres virtuosas, entre las que se destacaban el matrimonio y la maternidad.

Amparo, mujer inteligente y sensible a su ambiente y a sus propias necesidades —aunque impotente de cambiar ambos— capta un elemento importante de la moralidad burguesa íntimamente vinculado al concepto burgués de la «respetabilidad». Sabe la hermana de Refugio de que el parecer algo, o alguien, es tan importante como el serlo. Por tanto, si a ella, a Amparo, le falta la castidad —si en un momento de debilidad, de necesidad o de pasión perdió la tan preciada joya de la virginidad— lo importante era fingir, pretender, que la conservaba. Podía, de esa manera, aparentar el estado de pureza que caracterizaba a las más virtuosas de las doncellas literarias. De esa manera, y sólo de esa manera, podía ella hacerse merecedora de participar del galardón principal de la virtud: su entrada a la institución del matrimonio.

Esto no significa de que la protagonista —la «mujer débil» de Galdós —estuviera totalmente consciente de adoptar un papel determinado que la llevara a conseguir el fin anhelado por todas las mujeres de su condición. No se puede evitar el llegar a la conclusión, sin embargo, de que bajo la apariencia de debilidad con la que se proyecta hacia el mundo exterior, se trasluce en muchos sentidos una voluntad de hierro y hasta de osadía, por parte de la anti-heroína folletinesca. Esta voluntad de hierro se manifiesta en la entereza, en la determinación con que la protagonista cargaba con su cruz de todos los días, especialmente en su relación con Rosalía de Bringas. Es en este aspecto, más que en ningún otro, donde Amparo da un giro de 180 grados frente a su modelo literario: la Mujer Virtuosa, y es en este aspecto también donde Galdós parecería querer rechazar aquellos valores que prescinden de uno de los elementos más importantes de la moralidad burguesa: la respetabilidad. A través de la ironía que lo caracteriza estaría el novelista ridiculizando aquellos valores incorpóreos e insinceros y, a través de su anti-heroína —o como Montesinos diría, la «antiheróica heroína»— estaría demostrando el escritor la utilidad de los mismos en el marco de la sociedad que los promueve. A finales de la novela, sin embargo, vemos cómo Galdós se apodera del mismo elemento que podría haber liberado a su protagonista —la respetabilidad— y lo utiliza para impulsar su caída social. En nombre de «la respetabilidad» sacan las enemigas de Amparo los «trapitos al aire» de la infeliz muchacha. Esto imposibilitará para siempre las ilusiones matrimoniales de la protagonista.

Sobre la resolución de la historia de Amparo se han hecho varias interpretaciones, siendo la más prevalente aquella del «final feliz». Michael Nimetz escribe: «Caballero and Amparo live happily ever after not as husband and wife, but as man and concubine»[6]. Germán Gullón se refiere al final de «rebote» de la novela y menciona cómo el narrador «se ve forzado a acabar con un final feliz»[7]. Pattison considera oportuno el final de la débil muchacha y escribe sobre la salida de la triunfal pareja: «the two guilty parties are not shamefaced and furtive; in fact they are supremely happy»[8]. Montesinos, por otro lado, sugiere que el caso de Amparo mantiene semejanzas con el cuento de Cenicienta: «Cuando ésta [Amparo] se encuentra en aquella casa [de Agustín] siente vivir un cuento de hadas», y más adelante se refiere a que el «halago de la Cenicienta ante las maravillas que ve (en la casa de Agustín) no quiere decir que no siente un afecto pro-

---

[6] MICHAEL NIMETZ: *Humor in Galdos* (New Haven, Yale University Press, 1968), p. 71.

[7] GERMÁN GULLÓN: «Tres narradores en busca de un lector», *Anales Galdosianos*, año V (1970), p. 79.

[8] PATTISON: P. 76.

fundo por el príncipe...»[9], príncipe, que en este caso no es otro que Agustín Caballero. Otros críticos ven la salida de Amparo de Madrid como un símbolo del rechazo por parte de la protagonista de los valores morales de la sociedad. Le atribuyen a Amparo el no aceptar, de manera consciente, el sistema ideológico sobre el cual se basan las instituciones del matrimonio y de la maternidad, escogiendo, en su lugar, el de amante. Según estos críticos, la decisión de la protagonista de *Tormento* representa una ansia de libertad, de salirse de las normas rígidas establecidas por la sociedad. Basados en esta conclusión, consideran a Amparo el prototipo de la mujer moderna en la literatura española.

Aunque el final parece ser una renunciación por parte de Amparo de las instituciones familiares, especialmente la del matrimonio, nosotros somos de la opinión que Amparo acepta su nueva posición por necesidad: porque no tiene ninguna alternativa. Como ya se ha mencionado, Amparo sabe que una posición económica solvente es la única alternativa que la mujer de su condición tiene para poder llegar a sentirse un poco dueña de sí misma. Pero también sabe, como lo sabe Agustín, como lo sabe Rosalía y como lo sabe Galdós, que el matrimonio para una mujer que ha cometido adulterio es un sueño sin posibilidades de realizarse, es una ilusión, es una esperanza quimérica. Escribe Montesinos: «Amparo ha cometido una falta imperdonable según los cánones morales de aquella sociedad. Una falta que la hacía indigna de las nupcias que iba a contraer. Bien lo sabía»[10]. Nosotros somos de la opinión, por tanto, de que de haber tenido Amparo una alternativa, una opción entre el estado de mujer casada y el de amante, no hubiera dudado en ningún instante en optar por lo primero.

Aún más: el final de Amparo es mucho más irónico de lo que parece a primera vista, especialmente si se le compara con la vida de Refugio. A pesar de haber vivido la débil muchacha una vida de miserias y de pobreza, a pesar de haber convivido, a grandes sacrificios, con la mayoría de los valores virtuosos, termina en una situación semejante a la de su hermana menor. Amparo, al

[9] MONTESINOS: p. 112.
[10] *Ibid.*

igual que Refugio, termina siendo marginada por una sociedad que cree en su culpabilidad y que jamás se pregunta los motivos que pudieron haberla conducido a tal o cual acción. Tomando esto en consideración, tampoco podemos nosotros aceptar algunas críticas de hoy en día en las cuales las hermanas Sánchez Emperador son vistas como la personificación del mal y de la inmoralidad. En un artículo escrito por el crítico Charnon Deutsch, en el que trata de establecer una relación entre las casas, o apartamentos, de los personajes de la novela y los personajes mismos, escribe el señor Deutsch sobre Refugio y la pobreza y desorden de su vivienda:

> This graphic personification of the Emperador apartment at first seems to correspond more to Refugio's character, whose actions he is describing, rather than that of Amparo. The narrator is accentuating the unhealthy aspects of the furniture in an effort to communicate a sense of ruination and disease, not respectable poverty[11].

Más adelante señala cómo a través del progreso de la novela el lector, casi en contra de su propia voluntad, empieza a identificar a la hermana mayor con el ambiente miserable donde ambas viven. Termina el crítico con el siguiente comentario: «As it turns out, she is a hypocrite in her dealings with Refugio, her abandon of Polo is cruel and her secrecy with Caballero a betrayal. It must be accepted that morally Amparo is as ill as her decrepit apartment»[12].

Las razones que llevaron a Galdós a tomar esta postura final frente al destino de Amparo —como amante de Agustín— son, a nuestro parecer, tres. En primer lugar, es en esta última parte donde Galdós desarrolla de manera más profunda el último de los tipos femeninos de la obra de Ido. Se trata esta vez de la «duquesa mala» de las novelas de folletín. Esta duquesa, «más mala que la liendre» e interesada en perder a las hermosas doncellas

---

[11] LOU CHARNON DEUTSCH: «"Inhabited Space in P. B. Galdos" *Tormento*», *Anales Galdosianos*, año X, 1975, p. 39.

[12] *Ibid.*, p. 40.

folletinescas, se convierte en la novela galdosiana en la orgullosa Rosalía Pipaón Calderón de la Barca.

La caricatura de la duquesa es, en la obra galdosiana, un portento de maravillas que demuestra, en forma concretísima, el ingenio del escritor. El título de nobleza del personaje femenino de la novela de folletín sirve de contraste con los aires pseudo nobles que se da la de Bringas. La envidia que consume a la primera de querer que las doncellas se pierdan se expresa en la segunda en la actualización de sus sentimientos destructivos al llevar a Amparo hasta la desesperación y casi, hasta la muerte. Al final, sin embargo, la envidia y la codicia que caracterizan a Rosalía se vuelven en contra suya al ver sus ilusiones frustradas. Amparo, en el papel de amante del indiano rico, goza de aquellas pertenencias que habían conducido a la de Bringas a su envilecimiento.

La segunda razón que parecería justificar la postura de Galdós frente al destino de Amparo radica en el deseo del autor de querer demostrar lo insustancial y lo falso de la respetabilidad burguesa. Al negarle Galdós a Amparo una vida «honesta» basada en la respetabilidad, estaría Galdós criticando a toda una sociedad que se presta a valorar al ser humano, y concretamente a la mujer, con valores endebles y carentes de unas bases morales sólidas. Con el episodio final en la historia de Amparo, estaría Galdós denunciando la respetabilidad burguesa por su contribución al ascenso, o descenso, social del individuo sin tomar en consideración otros aspectos importantes del individuo.

La tercera razón y, a nuestro parecer, la más importante, radica en la ambición de Amparo al querer subir el peldaño social a través de un matrimonio de conveniencia. El final de la novela nos revela una vez más, la aproximación ideológica entre los valores de los escritores tradicionalistas y Galdós. Utilizando éste el concepto de la «falsa respetabilidad» como la razón del fracaso de las ilusiones matrimoniales de Amparo, le niega Galdós a su personaje central, el papel de esposa en los ámbitos de una clase social superior al de la muchacha. En el final de la novela, como amante de Agustín y en rumbo a otros sitios que no fuera Madrid, se sienten las repercusiones de la historia de Isidora y de millones de antagonistas literarias embarcadas en un proceso destructivo por haber codiciado un estilo de vida fuera del alcance de sus propias posibilidades.

Galdós no acepta, como tampoco aceptan los escritores de literatura de consumo, el defecto injustificable en la mujer: la ambición. La distorsión final del cuento de Cenicienta, en la cual la hermosa muchacha termina siendo amante y no esposa, es el castigo —atenuado si se quiere— de Amparo por querer salirse de su condición socio-económica a través del matrimonio con un indiano rico. Que el castigo es atenuado, y no al nivel del de Isidora, responde a la personalidad de Amparo: a su debilidad de carácter. La caracterización de Amparo basada en su actitud frente a la vida hace de ella un personaje por el que se siente lástima y hasta un poco de compasión. De haber compartido Amparo el temperamento de Isidora, la ambición de la muchacha hubiera tenido consecuencias mucho más negativas.

La ambición de Amparo la condena al papel de amante. La «buena organización de la familia» en la cual se basa la «buena organización de una sociedad» no podía haber aceptado otra cosa. El «importante fin» de la literatura, según Galdós[13], se cumple en *Tormento*. Al rechazar Galdós a Amparo en el papel de esposa, sancionado por la ley, está invocando la presencia de «los sagrados lazos de la familia» basados en la obediencia y la resignación ante la estructura socio-económica vigente. Aunque Galdós rechaza algunos de los valores literarios orientados a la mujer apoya, en *Tormento*, las bases clasistas que definen la moralidad burguesa de la literatura de consumo.

---

[13] GALDÓS: «Revista de Teatros», p. 335.

LAS
MUGERES
ESPAÑOLAS AMERICANAS Y LUSITANAS
PINTADAS POR SI MISMAS
BRANGULI
1881

EPILOGO

Se incluyen en esta sección referencias específicas de las obras literarias de consumo analizadas en este libro. La mayoría de estas obras fue publicada entre los últimos años de la década de 1830 y los años 80. Marcan los años 30 la decadencia del Romanticismo como movimiento literario, así como también los comienzos del ímpetu comercial de la literatura de consumo. Con la llegada del Realismo en los años 80, el tipo de obras literarias aquí analizadas pierde el lugar prominente que hasta entonces había alcanzado en el vasto mercado literario. Esto no significa, sin embargo, que el tipo de literatura que abarca este estudio, deje de ocupar un lugar importante como obra de consumo, hecho que se comprueba con la demanda en que se mantiene hasta nuestros días. Así se explica, entonces, que en este estudio se encuentren algunos ejemplos de literatura popular publicada después de los años 80.

Dentro de la clasificación de las obras incluidas en este estudio, se encuentran novelas de folletín, publicadas como parte del periódico o por entregas, y más tarde en volúmenes separados, así como también cuentos, ensayos y algunas poesías publicadas en los periódicos y revistas de la época. Es necesario tener en cuenta, sin embargo, de que las clasificaciones que sus autores dan a muchas de estas obras son bastante arbitrarias y que no se rigen necesariamente a categorías estrictas de los diferentes géneros literarios. No es de extrañar, por tanto, que al lado de los títulos de diferentes obras se encuentren las siguientes calificaciones: «leyendas», «fantasía moral», «cuento fantástico», «novela corta», «anécdota», «novela original», «apunte del natural», «novela del francés» y otras, además de las divisiones convencionales de «cuento», «novela» y «poema». Al mismo tiempo, hemos limitado nuestro estudio a las obras de ficción, por ser éstas las que más claramente proyectan, a nuestro parecer, las inquietudes morales de la época.

Conjuntamente con estas obras, hemos utilizado una serie de artículos publicados en los mismos periódicos y revistas, que apoyan las ideas principales desarrolladas en la tesis. También hemos incluido algunos libros o tratados moralistas sobre la mujer escritos en la misma época. Por otro lado, las citas de las diferentes obras utilizadas en este estudio, han sido copiadas exactamente de los originales, sin que hayan sufrido una mínima alteración. Por último, todas las obras pueden ser localizadas en las diferentes bibliotecas madrileñas, especialmente en la Biblioteca Nacional en Madrid y en la Hemeroteca Municipal, también en Madrid.

Los trabajos incluidos en el análisis de la literatura, abarcan las siguientes categorías:

I. *Novelas de folletín.* Por ser las obras folletinescas de una gran voluminosidad he seleccionado sólo aquellas que mejor representan las bases ideológicas y moralizantes que caracterizan a la obra folletinesca. Otra norma importante en la selección ha sido la de la popularidad que éstas tuvieron entre el público lector, como lo demuestran las muchas ediciones que de la mayoría de estas novelas se hicieron.

II. *Periódicos y revistas.* Estas publicaciones cubren un período aproximado de 50 años, entre 1830 y 1880, aunque varían en cuanto al período de su duración. Hay periódicos, por ejemplo, que sólo duran un año, o tal vez meses dentro de un año, mientras que hay otros cuya duración abarca períodos más extensos.

Para adquirir una visión general de los valores mantenidos por diferentes intereses personales de los distintos grupos religiosos, políticos y sociales, se han seleccionado publicaciones que reflejan esta variación de ideologías individuales. Entre las publicaciones de tipo social se encuentran aquellas que se dirigen especialmente a un público femenino, como son las revistas de modas y salones, dedicadas exclusivamente a la educación social de las mujeres de clases acomodadas, incluyendo el consumo de la moda y artículos femeninos. Otras publicaciones dentro de esta división están dedicadas a la instrucción de la mujer y hay algunas, aunque limitadas en número, orientadas a despertar una leve toma de conciencia feminista en la mujer lectora decimonónica.

III. *Tratados moralistas sobre la mujer*. En esta sección se han incluido libros moralizadores escritos específicamente con el propósito de instruir a la mujer dentro de un marco social-religioso. Carecen estos trabajos de todo elemento de ficción.

IV. *Otras publicaciones*. En esta sección van incluidas otras obras —escritas en la misma época— no consideradas en ninguna de las clasificaciones anteriores. Un ejemplo de este tipo de publicaciones son obras costumbristas relacionadas directamente con el tema de la mujer: por ejemplo, *Las españolas pintadas por sí mismas*, o *Las mujeres españolas, portuguesas y americanas*. Aunque no pertenecen estas obras al tipo de literatura analizado en esta tesis, contribuyen a darnos una perspectiva adicional a la temática que aquí desarrollamos.

Además de las referencias a las obras individuales, se han incluido en este Epílogo informes biográficos de los escritores que contribuyeron regularmente así como también de algunos de los editores. Hemos incluido también una sinopsis breve de la ideología que caracteriza a cada una de las revistas y periódicos utilizados en este estudio.

La lista de obras aquí presente no es de ningún modo una lista completa de todo el conjunto de obras publicadas en esta época. Representa esta lista, sin embargo, un muestrario —bastante amplio— de todo aquel vasto cuerpo de obras publicadas entre 1840 y 1880.

I. *Novelas de folletín*

A) WENCESLAO AYGUALS DE IZCO.

1. *María, la hija del jornalero*. Madrid, 1849. 6.ª edición. Imprenta de don Wenceslao Ayguals de Izco.

Dos tomos: primer tomo, 416 páginas; segundo tomo, 379 páginas.

Esta novela se acabó de escribir el 19 de septiembre de 1846. De esta obra se hicieron al menos once ediciones, la última en 1905. Se tradujo a varios idiomas: italiano, alemán, portugués y francés. El título de la versión francesa es *María la española o la víctima de un fraile*, para la cual escribe el prólogo Eugenio Sué. En la «Introducción» a la novela se indica que el propósito del autor es el de pintar «un episodio de la vida social y política» de España, entre los años 1834 a 1838.

2. *La bruja de Madrid*. Madrid, 1969. Editorial Taber Epos, S. A. Dos tomos: primer tomo, 41 capítulos, 455 páginas; segundo tomo, 38 capítulos, 400 páginas.

Esta obra se terminó de escribir en Madrid el 17 de noviembre de 1850. La primera edición de la novela salió con el título de *Pobres y ricos o La bruja de Madrid*, publicada en la imprenta del autor.

En el primer tomo de la edición de Taber Epos, de 1969, en las páginas 7 a 22, se incluye un importante prólogo de Joaquín Marco analizando la obra de su autor y de las novelas de folletín de la época.

Wenceslao Ayguals de Izco (1801-1873) nació en Vinaroz. Además de novelista fue editor, periodista, director de periódicos, político, y finalmente, hombre de negocios. Entre 1842 y 1850 dirigió y editó los siguientes periódicos: «Guindilla», «La Risa», «El Dómine Lucas», «El Fandango», «La Linterna Mágica» y otros. En una colección de novelas que tituló *El novelista universal*, Izco publica obras de Voltaire, Sué, Hugo, incluyendo algunas propias y otras de escritores españoles como García Tejero y Martínez Villergas.

Se le considera uno de los primeros folletinistas y uno de los que tuvo más éxito comercial. Se le alaba su postura anticlericalista y socialista que adopta en sus novelas.

B) MANUEL FERNÁNDEZ Y GONZÁLEZ.
Luisa o el Angel de la Redención (cuento). Madrid, 1859. Don Miguel Prats, editor. Dos tomos: primer tomo, 23 capítulos, 663 páginas; segundo tomo, 52 capítulos más «Epílogo», 634 páginas. Esta obra fue originalmente publicada en 1855.

Fernández y González (1821-1888) nació en Sevilla y murió en Madrid. Estudió en Granada y fue miembro de la tertulia literaria, «La cuerda granadina». En Madrid llevaba una vida bohemia que no interrumpió el éxito económico de sus obras. Vivió fastuosamente en los tiempos prósperos; en sus últimos años dictaba sus novelas a Tomás Luceno y a Blasco Ibáñez, quienes fueron sus secretarios. Murió en la mayor pobreza.

Aunque tuvo una escasa cultura, gozaba de una fecundísima imaginación, como se demuestra en las 300 novelas que compuso. A partir de 1855, con la publicación de *Luisa*, Fernández y González se enriqueció y enriqueció a sus editores. Joaquín Marco, en el «Prólogo» de la obra de Izco, *Pobres y ricos o La bruja de Madrid*, señala que *Luisa* alcanzó en pocos meses la suma de 200.000 ejemplares.

Además de escribir novelas marcadas por un fuerte moralismo, de las cuales *Luisa* es un ejemplo, escribió también novelas históricas.

C) ENRIQUE PÉREZ ESCRICH.

1. *La mujer adúltera* (novela de costumbres). Madrid, 1895. Librería de Miguel Guijarro, editor. Esta obra se acabó de escribir el 15 de enero de 1864. Consiste de dos tomos: el primero, hasta el «libro» IX con 764 páginas; el segundo hasta el «libro» XXI, con 839 páginas.
2. *La esposa mártir* (novela de costumbres). Madrid, 1895; 4.ª edición. Librería de Miguel Guijarro, editor. Esta obra se acabó de escribir en 1865. Consiste en dos tomos: el primero de 866 páginas, y el segundo de 850 páginas.

Pérez Escrich nació en Valencia en 1829 y murió en Madrid en 1897. Empezó su carrera en Madrid como dramaturgo con comedias y dramas sentimentales. A partir de 1863 empezó a publicar novelas de entrega. Llegó a ser uno de los novelistas más populares de España y a ganar entre 40.000 y 50.000 pesetas anuales. Murió muy pobre, desempeñando el cargo de director del Asilo de las Mercedes.

La obra de Escrich está marcada por un fuerte dualismo moral: los buenos y los malos. Gracias a la virtud, los buenos siempre triunfan. Defiende en sus obras las instituciones tradicionales basadas en el núcleo familar, en las buenas y sanas costumbres y en la virtud en general.

II. *Revistas y periódicos*

A) Publicaciones religiosas.

1. *El amigo de la Religión Cristiano Católica y de la Sociedad.* Publicación quincenal. Madrid, 1837-1838. Imprenta a cargo de M. Pita. Cada publicación es un cuaderno de siete páginas; cada cuatro cuadernos un tomo. Precio por tomo, 8 reales. Cuadernos sueltos, 5 reales. Redactor principal: Domingo Manjón.

El «propósito» de esta publicación, como ellos mismos lo indican en su primera publicación, es el de hacer frente a las máximas impías y heterodoxas que «por doquiera, ya abierta, ya cladestinamente» se propagan. Ataca a los filósofos de la época a los cuales los considera como «hombres sin religión». A estos «materialistas impíos» se dirige, atacando sus diferentes doctrinas: «Avergonzaos, hombres impíos, que pretendéis solapar vuestra vida criminal, por medio de doctrinas que nada prueban más que la inmundicia de vuestro corazón» (p. 12). Los escritos son anónimos.

2. *Revista Católica.* «Historia contemporánea de los padecimientos y triunfos de la Iglesia de Jesucristo». Publicación trimestral. Barcelona, julio de 1842. Imprenta y librería de Pablo Riera. Sale cada trimestre en un cuaderno de 288 páginas. Cada dos cuadernos forman un tomo. Precio de suscripción: 15 reales cada 6 meses en Cataluña. No admitían suscripciones por menos de medio año.

   El propósito de la revista es el de atacar los valores de la desamortización del 36 especialmente en lo que concierne a la posición de desventaja de la Iglesia a partir de la repartición de sus bienes. Se consideran «historiadores» cuyo propósito es el de «desmentir con la terrible elocuencia de los hechos a esos mentidos protectores de la Iglesia (el gobierno liberal de Mendizábal) y de sus cánones; a esos hipócritas, a esos vergonzantes Tiberios, que no se atreven a arrojar la máscara, que mientras oprimen quieren llamarse protectores, que mientras destruyen quieren aparecer como que de las ruinas hacen levantar un más hermoso y más brillante edificio». (A. P., «Reseña Histórica. España», tomo 2.º, VII, enero de 1843, pp. 61-62).

   Las iniciales A. P. acompañan la mayoría de los escritos en esta publicación.

3. *La Armonía* de la razón y de la fe, del catolicismo y libertad. «Revista de intereses religioso-político-sociales». Se publica los martes y los sábados. Madrid, 1870-1871. (Primera publicación: 1 de noviembre de 1870). Director: don Julián Jiménez Cordón. Precio: 5 reales al mes; 14 reales por trimestre; 26 reales por semestre; 48 reales al año.

   Periódico moderado liberal; apoya el régimen liberal del 68. Busca una conciliación intermediaria entre la fe y la razón, aunque lamenta la indiferencia religiosa de la época. Escriben en su primera publicación: «La desgraciada situación por la que pasa España no es hija solamente de la poca fe de hoy, sino de la superstición y falta de sólidas creencias de ayer, que han venido a engendrar la indiferencia religiosa en unos y el fanatismo de otros». Fue dirigida por el señor Cordón y participaban en la redacción los señores Francisco Arriaga, Francisco Ceballos, Santos Lahoz, Camilo Labrador, Ignacio Oviedo, Pablo Rovira, Nicasio Solano y Nicasio Zúñiga.

4. *Buena Nueva*. Revista Popular Católica. Religión, Ciencias, Artes y Literatura. Madrid. Primera publicación: 10 de octubre de 1873. Director: Obdón de Paz. Cada publicación consta de 8 páginas. Colaboradores: Leopoldo Augusto de Cueto, Pérez Montalván, Bernardo López García, Enrique Pérez Escrich y doña Patrocinio de Biedma.

El propósito de la revista es el de «levantar el edificio de lo porvenir, purificando una sociedad corrompida, regenerando una sociedad enervada y haciendo que esta infortunada patria goce del bienestar moral y material». Su tono es conciliador: pide la armonía entre el progreso material y la fe religiosa.

Critica las novelas de folletín y el «Correo de la Moda». Quiere que las clases conservadoras despierten de su apatía para que sean instrumentos activos en la propagación del Evangelio. Incluye cuentos condenando el lujo de la mujer e incitándola a la obediencia.

Doña Patrocinio de Biedma, asidua escritora, nació en Jaén el 13 de marzo de 1848. Recibió cierta notoriedad por sus poemas y novelas. En 1877 fundó el semanario «Cádiz». También contribuyó en numerosos periódicos políticos y literarios, entre ellos «El Bazar» (1874-1875), «La Niñez» (1879-1883), «La Revista de España» (1874), y otros.

5. *La enseñanza Católica*. Madrid: primera pu-

blicación: 7 de enero de 1872. Imprenta y litografía de Nicolás González. Sale 4 veces al mes. Precio: 10 reales por trimestre.

Propósito: «Defender y fomentar una educación ajustada estrictamente a las reglas de la Santa Madre Iglesia y a los intereses superiores de la sociedad». Ataca violentamente la enseñanza anticatólica de la época por lo que ésta combate la moral y los dogmas de la Iglesia.

6. *La España Católica.* Diario religioso, político y literario. Madrid, 1874-1875. (Primera publicación: 6 de julio de 1874). Fundado por el señor Pidal y Mon.

   El objeto del periódico es el de organizar una unión católica. Quiere el periódico dedicarse a la defensa y propagación de la verdad católica, impulsado por una política puramente humana. Pidal y Mon fue un adversario de la Revolución del 68. Fue también académico de la RAE.

7. *La Ciencia Cristiana.* Revista quincenal. Madrid, 1877-1882. Imprenta de la viuda e hijo de D. E. Aguado. Director: Juan Manuel Ortí y Lara.

   Propósito: Promover los altos intereses de la religión y de la verdadera ciencia. Busca la armonía de la ciencia con la religión, pero la primera subordinada al elemento divino: «La religión católica ha sido siempre la madre de la verdadera Ciencia que nacida al amparo de la Iglesia, a ella debe sus más preciados y legítimos poderes. Verdadera ciencia es aquella que no niega a Dios el ser el creador de todas las cosas, anteponiéndolas al hombre».

   Constante ataque a los krausistas a los cuales llama «sabios flamantes» y a sus doctrinas «ridícula germanía».

Colaborador: Miguel Mir, S. J.

Juan Miguel Ortí y Lara fue doctor en Jurisprudencia, catedrático largos años de Metafísica en la Universidad de Madrid, miembro de la Real Academia de Ciencias Morales y Políticas y de la romana de Santo Tomás de Aquino y autor de numerosos trabajos histórico-políticos y religiosos. Fue redactor de «El Triunfo» en Granada, y de «La Armonía» y «El Pensamiento Español». Fue director de «La Ciudad de Dios» y de «La Ciencia Cristiana» y del diario «El Universo» (1901-1904). Fue conocido por su seudónimo «El filósofo rancio». Fue privado de su cátedra por negarse a jurar la Constitución de 1869 (por convicciones religiosas), siendo reintegrado a su puesto por el primer gobierno de la Restauración. Falleció en Madrid a los 77 años, el 7 de enero de 1904.

8. *El Amigo del Hogar*. Pequeño semanario para las familias católicas: moralizar deleitando, recrear instruyendo. Madrid. Primera publicación: 1 de agosto de 1880. Imprenta Hispano Filipina.

Propósito: «Contribuir a la propagación entre el pueblo de las ideas más sanas y saludables, en este tiempo en que aparece pujante como nunca la inmoralidad y el cinismo... Ha habido empeño en pervertir al pueblo con papeles escritos en muchos casos por personas tan incompetentes y alucinadas como los mismos lectores». Para conseguirlo, incluyen una serie de ensayos titulados «Enseñanza popular» de tono moralizante. Atacan en ellos a las novelas de folletín así también como a los escritores folletinistas franceses, como E. Sué y Paul de Kock.

Ideas prevalecen a través del semanario sobre el placer y gozo en la pobreza así también como el papel importante del sufrimiento en la mujer buena. A la mujer se le presenta como el medio de salvación del hombre.

B) Publicaciones políticas.

1. Prensa carlista[1].

a) *La Esperanza*. Diario tradicionalista. Periódico neo-católico. Publicación diaria. Madrid, 1844-1872. (Primera publicación: 10 de octubre de 1844). Cada publicación consistía de 4 páginas; cinco columnas por página. Precio: 14 reales por mes. Director: Pedro de la Hoz y Liniers, asistido por su cuñado don Antonio Juan de Vildósola. Colaboradores principales: Domingo Hevia, Dolores Cabrera y Heredia, Valentín de Novoa, Francisco del Castillo, Antonio Vildósola, Mariano de Godoy, José del Villar, Luis del Barco, José María Carulla, José Indalecio Caso, José M.ª Fauró, Nicolás García Sierra, Juan González, José Hernández. De éstos sólo se ha obtenido información de dos: Dolores Cabrera y Heredia y Domingo Hevia.

Dolores Cabrera y Heredia fue una poetisa nacida en Huesca el 15 de septiembre de 1829. Publicó numerosas composiciones en periódicos como «La Educación Pintoresca» (1857), «La Reforma», «Las Hijas de Eva», «El Trono y la Nobleza» y otros, hasta que tuvo la desgracia de quedarse ciega.

Domingo Hevia fue un presbítero asturiano, autor de diferentes obras históricas y religiosas. Fue también redactor o colaborador de diferentes publicaciones, entre ellas «El Católico», «La Iglesia», «El Clero», «Semanario de Segovia», «El Corresponsal Eclesiástico», «El Púlpito Español», «La Cruz», «Al-

[1] La prensa carlista fue de una gran variedad. Entre las publicaciones «serias» se encuentra «La Esperanza» y entre las más amenas, tales como «El Papelito» o «La Gorda». También se publicó un periódico dedicado exclusivamente a la mujer lectora, «La Margarita», editado en Barcelona, en 1870.

tar y Trono» y «La fe». Murió en los primeros días de mayo de 1882.

Este periódico tiene una orientación básica político-religiosa. Es antirepublicano. Eleva en 1868 fuertes voces de protesta en contra de las acciones anticatólicas del nuevo régimen revolucionario.

En la primera página se encuentran listas de suscripciones en favor de los carlistas perseguidos, y en las páginas centrales, dos secciones tituladas «Noticias carlistas» y «Orden público», destinadas a recoger noticias de las guerras carlistas.

b) *La Regeneración.* Diario Católico. Periódico católico monárquico. Publicación diaria. Madrid, 1859-1873. (Primera publicación: 21 de diciembre de 1859). Imprenta de «La Regeneración» a cargo de Florencio Gamayo. Editor, don Manuel Franco. Colaboradores: Juan Antonio Almela, José Conga Argüeyes, Juan de Vildósola y Miguel Sánchez. Precio: 6 reales al mes. Cuatro páginas, cuatro columnas.

Se consideran católicos antes que políticos, pero son políticos «en tanto cuanto la política conduzca al triunfo práctico del catolicismo». Considerado el periódico más influyente del absolutismo.

De los colaboradores en este diario sólo se ha podido conseguir información sobre Juan Antonio Almela y Llonet. Nació este periodista en Valencia en 1819 y murió en Madrid el 24 de febrero de 1897. Cultivó la literatura dramática y como periodista dirigió en Madrid, en 1870, el diario «La Regeneración» y colaboró en «El Fénix» de Valencia, «La Ilustración Católica» (1877) y otros periódicos.

c) *El Pensamiento Español.* Diario de la mañana. Periódico neo-católico. Madrid, 1860-1874. (Primera publicación: 2 de enero de 1860).

Precio de suscripción: 12 reales al mes. Fundado por Gabino y Tejado. Principales colaboradores: Navarro Villoslada y el Padre Félix de la Compañía de Jesús. Luis Echevarría, Esteban Garrido, Valentín Gómez, Eduardo González Pedroso, Juan Ortí y Lara, marqués de Sta. Cruz de Inguenzo. Periódico carlista, de tendencia tradicionalista. Defiende la religión católica y pide la obediencia a la autoridad civil. Publican *La Encíclica* y el *Syllabus* en la Gaceta del 9 de marzo de 1865, con gran disgusto de progresistas y liberales. Señalan respeto y acatamiento a Roma.

En los meses de marzo y abril de 1860 se publican seis conferencias del P. Félix de la Cía. de Jesús, en las cuales se indican las grandes corrientes de la sociedad contemporánea que están destruyendo el núcleo familiar: morales, doctrinales y sociales. Concluye el escritor mencionando que sólo en el hogar doméstico, habitado por Jesucristo, «se halla el gran secreto del progreso» que busca España. (I, n.º 87, 12 de abril de 1860).

Se incluyen novelas de folletín.

Gabino Tejado y Rodríguez, fundador de «El Pensamiento Español» en 1860, nació en Badajoz el 27 de abril de 1819 y falleció en Madrid el 9 de octubre de 1891. Como periodista fue un redactor en Badajoz en el periódico de tendencia liberal, «El Extremeño», pasando después a los diarios de la oposición como eran «La Coalición», «El Grito de Septiembre» y «El Pensamiento» (1844). En Madrid acabó de significarse políticamente en «El Padre Cobos» (1855), «La Constancia» (1867), «El Eco de Roma» (1870), «Altar y Trono» y otras publicaciones semejantes. También contribuyó en la redacción de periódicos literarios como «El Laberinto», «Semanario

Pintoresco Español», «El Siglo Pintoresco» y «La Ilustración Católica».

d) *La Iglesia.* Periódico político religioso. (Publicación semanal). Madrid. Se publicó por primera vez el 10 de enero de 1869. Cesa el mismo año. La «edición grande» de este periódico se publicaba una vez a la semana. El precio de suscripción era 40 reales por un año; 23 reales por 6 meses; 15 reales por tres meses y seis reales por un mes.

La «edición pequeña» se publicaba dos veces por semana y el precio de suscripción era de 49 reales por un año, 25 reales por seis meses, 15 reales por tres meses y seis reales por un mes. Director: don Guillermo Guglielmi, sacerdote y abogado romano. Escrita por los sacerdotes, don Guillermo Guglielmi y don Domingo Hevia.

El propósito de este periódico era doble: primero, el de mantener unida la fe católica sin que esto implicara el abogar por algún partido político determinado. Pretenden con este periódico, como ellos mismos lo dicen en el «Prospecto» de su primera publicación, «Fundar un periódico que defienda siempre la sublime y augusta verdad católica y ayude a sostener intacta e incólume la santa doctrina y los sagrados derechos de la Iglesia».

La segunda razón de la fundación de este periódico es para combatir las «falsas historias» y las «afirmaciones gratuitas» con que la «literatura ligera» se dirige a las masas. Leemos: «La fuerza corruptora de algunos libros y de una parte, poco numerosa por fortuna, del periodismo, empieza a inundar la España, y elaborándose el veneno cada día, es cada día absorbido en pequeñas dosis por los lectores menos ilustrados».

Sobre los colaboradores, de Domingo Hevia ya se ha hecho mención con anterioridad. Don Guillermo Guglielmi fue un sacerdote y un abogado; dirigió el periódico «La Iglesia» en 1869.

2. Prensa liberal.

a) *La Epoca.* Periódico político y literario[2]. Madrid, 1849-1936. Precio: 4 pesetas mes.

De este periódico se ha consultado únicamente la sección titulada «Hoja literaria del lunes». Colaboran: María del Pilar Sinués de Marco, Emilia Pardo Bazán, A. Palacio Valdés, Luis Alfonso, Juan Mañé y Fleguer, V. Colorado, Tolosa Latour, Antonio Machado y Alvarez, Yxart, Antonio Flores y don Julio Nombela.

Antonio Machado y Alvarez, padre de Antonio y Manuel, fue doctor en Derecho y en Filosofía y Letras. Falleció en Sevilla el 4 de febrero de 1893. Fue director del periódico madrileño «El Obrero de la Civilización» (1868), redactor de «La Justicia» (1889) y fundador del «Folk Lore Español», biblioteca de las tradiciones populares españolas (11 volúmenes). Utilizó el seudónimo de «Demófilo».

b) *El Imparcial.* Diario liberal de la mañana. Madrid, 1867-1930. (Primera publicación: 16 de marzo de 1867). Fundador: Eduardo Gasset y Artime. Redactor: R. Hernández Bermúdez. Imprenta de Valero; después en la de «El Imparcial». Suscripción: 4 reales al mes. Cuatro páginas: 4 columnas con grabados. Colabo-

[2] *La Epoca* dejó de publicarse el 4 de mayo de 1852. No apareció hasta el 18 de junio del mismo año, con el nombre de «La Epoca Actual», título que conservó hasta el 30 de junio, no ocupándose por este tiempo de política. Al número siguiente vuelve a tener un carácter político. Dejó de publicarse el 27 de junio de 1854 y reapareció el 4 de julio del mismo año. Fue periódico de la Unión Liberal; después se hizo moderado, y desde la Rev. del 68, Alfonsino.

radores: Ernesto de la Guardia y don José Echegaray. La Sinués de Marco contribuye con artículos en la sección titulada «Revista de Modas».

Eduardo Gasset y Artime figuró en 1876 como miembro de la Junta Directiva de la Institución Libre de Enseñanza.

Ernesto de la Guardia fue abogado y autor dramático. Colaboró en «El Imparcial», «El País» (1902) y en otros periódicos de Madrid.

María del Pilar Sinués de Marco: 1835-1893. Nació en Zaragoza y murió en Madrid. Se casó por poderes con el comediógrafo José Marco y Sanchis, que sin conocerla pidió su mano en una poesía; más tarde se separaron. Colaboró en muchos periódicos y revistas españolas y americanas. Dirigió la revista «El Angel del Hogar». Fue una escritora asidua, publicó muchas obras, casi todas novelas.

Este periódico se identificó totalmente con los valores de la Revolución de 1868 y se declara partidario especialmente de las reformas educativas inspiradas por los krausistas. De tendencia anticlerical y libre pensadora. Más adelante, se declara anticanovista.

En «Los Lunes del Imparcial» colaboran los hermanos Machado, Azorín, Concha Espina y «Clarín».

c) *Revista de España*. Madrid, 1868-1894. Fundada por el político liberal y periodista José Luis Albareda. Revista quincenal. Tipografía de Estrada, Díaz y López. Colaboradores: Manuel Prieto y Prieto, Leopoldo Augusto de Cueto, Melchor Salva, Carlos Coello, Joaquín Sánchez de Toca, Patrocinio de Biedma, Nicomedes Martín Mateos, Francisco y José Giner, Emilia Pardo Bazán, Benito Pérez Galdós, y otros.

Manuel Prieto y Prieto: hombre de ciencia,

catedrático de Veterinaria, miembro de la Real Academia de Medicina y de otras muchas corporaciones nacionales y extranjeras. Como periodista fue redactor de «El Clamor Público» (1864), «Las Novedades» (1865), «Los Sucesos» (1866), «Boletín Oficial del Ayuntamiento de Madrid» (1869), «El Demócrata», «La Democracia», «La América» y «El Porvenir». Falleció el 28 de mayo de 1885.

Leopoldo Augusto de Cueto, marqués de Valmar: erudito y escritor español (1805-1901). Fue autor del *Bosquejo historicocrítico de la poesía castellana en el siglo XVIII.*

Joaquín Sánchez de Toca: político español (1852-1942). Fue jefe del Gobierno en 1919.

Este revista tuvo como principios los ideales de la Revolución del 68, apoyados por los intelectuales progresistas de la época. Proyecta la revista una preocupación por el progreso cultural de España. Esta publicación es una fuente importante para el estudio del krausismo.

C) Publicaciones literarias.

1. *Semanario Pintoresco Español.* Revista literaria, popular y pintoresca. Madrid, 1836-1857. (Primera publicación: 3 de abril de 1836). Fundado por Mesonero Romanos, quien dirigió la revista desde 1836 a 1842[3]. De 1843 para adelante, tiene, entre otros directores, a José Muñoz Maldonado, escri-

[3] En 1843 y 44 lo dirigió don Gervasio Gironella. En 1845, don Vicente Castello. En 1846, la parte literaria, don Francisco Navarro Villoslada y don Angel Fernández de los Ríos; la parte artística, don Vicente Castelló. Durante los años de 1847 a 1855, solamente don Angel Fernández de los Ríos. Desde 1856 a 1857 lo dirigieron sucesivamente los señores don José Muñoz Maldonado (conde Fabraquer), don Manuel de Assas y don Eduardo Gasset.

tor de novelas folletinescas. Imprenta de don Tomás Jordán. Precio: 3 reales por mes. Se publicaba los domingos. Ocho páginas: 2 columnas con grabados y láminas sueltas. Colaboradores: G. Gómez de Avellaneda y Carolina Coronado. También don Luis Miguel y Roca.

Gertrudis Gómez de Avellaneda fue una poetisa y escritora cubana, nacida en Puerto Príncipe (1814-1873). Sus escritos fueron de tendencia romántica. Entre sus novelas, las dos conocidas son *Dos mujeres* y *Sab*.

También poeta, Carolina Coronado nació en 1823 y murió en 1911. Su obra más conocida fue «Amor de los amores».

Ramón de Mesonero Romanos fue muy conocido con el seudónimo de «El Curioso Parlante». Trató de analizar el pasado de su ciudad natal a través de sus varias obras, como *El antiguo Madrid*, *Panorama matritense*, *Memorias de un setentón*, etc. Escribe Mesonero Romanos sobre el propósito de su publicación: «Era mi propósito comprender esta publicación, generalizar la afición a la lectura y el conocimiento de las cosas del país, así en su belleza natural como en sus monumentos artísticos».

2. *El Museo Universal*. Periódico de ciencias, literatura, artes, industria y conocimientos útiles. Madrid, 1857-1869. (Primera publicación: 15 de enero de 1857). Primero fue una publicación quincenal. A partir de 1860, apareció semanalmente. Dirigido por don Florencio Janer; imprentas y librerías de José Gaspar y José Roig, editores. Número suelto: 2 reales. Ocho páginas: 3 columnas por página. Prensa ilustrada. Se hizo famosa por sus almanaques, concebidos por los grabadores Vicente López y Vicente Esquivel.

En este periódico, Francisco Giner publica su artículo «Nuevos progresos de nuestra cultura intelectual» (II, n.º 21, 1869) donde expresa el punto de vista del intelectual liberal favorecido por el cambio de Gobierno. También en otro artículo bajo el subtítulo de «Revista de la Semana» por el mismo autor, comenta alborozado el entusiasmo del pueblo y las reformas introducidas. Colaboradores: Juan Antonio Almela, José J. Soler de la Fuente, Manuel Fernández y González, M. Ossorio y Bernard, J. Jimeno Agius, Melitón Atienza y Sirvent, Juan J. Marín, Manuel de la Revilla.

José J. Soler de la Fuente fue un subintendente militar y colaborador de numerosos periódicos literarios. Falleció en Granada el 20 de diciembre de 1876.

Manuel Ossorio y Bernard nació en Algeciras el 6 de diciembre de 1839. Como periodista fue redactor de periódicos como «El Constitucional» (1860), «El Contemporáneo» (1864), «La Gaceta de Madrid», «La Correspondencia de España» y otros. Dirigió también varios otros periódicos como «El Noticiero de España» (1868), «La independencia Española» (1868), «La Gaceta Popular» (1873), «La Correspondence d'Espagne», «La Niñez», «El Mundo de los Niños», «La Ilustración Católica» y otros. Colaboró en numerosos periódicos de Méjico, Cuba y Filipinas.

Melitón Atienza y Sirvent fue catedrático de Agricultura en el Instituto de Málaga; director de Paseos y Jardines de la misma población. Colaboró activamente en «El Museo Universal», «La Ilustración Española» y otros. También colaboró en el «Diccionario Enciclopédico de Agricultura» de los editores Cuesta Hermanos.

Manuel de la Revilla: conocido crítico literario español (1846-1881).

El presente periódico cesó el 28 de noviembre de 1869, siendo reemplazado por «La Ilustración Española y Americana».

3. *Semanario Popular*. Periódico pintoresco. Madrid, 1862-1865. (Primera publicación: 13 de marzo de

1862). Se refundió en «El Museo Universal» el 23 de febrero de 1865. Dirigido por don Florencio Janer. Imprenta de Gaspar y Roig. Número suelto: 4 cuartos. Ocho páginas: 3 columnas por página, con grabados. Colaboradores: Aureliano Ruiz, Angela Grassi, Fernando Sellares.

Aureliano Ruiz fue un poeta premiado en diferentes certámenes literarios de Andalucía. Fue un activo colaborador de la «Revista del Liceo de Granada» y «La Alhambra» (1898); «Los Niños», «La Ilustración Española y Americana» y otros.

Angela Grassi, escritora nacida en Crema (Italia) y trasladada a España siendo muy niña. Algunas de sus obras fueron premiadas por la Real Academia Española. En 1867 se encargó de la dirección del periódico «Correo de la Moda» en la cual siguió hasta su fallecimiento, ocurrido el 17 de septiembre de 1883. Colaboró en varias publicaciones literarias a partir de 1844, época en que trabajaba para «El Pensamiento» que dirigía en Badajoz Carolina Coronado. También escribió en «Los Niños» (1870-1877), «La Niñez» (1879-1883), «La Ilustración Católica» y otros.

Escribió muchos cuentos y novelas apoyando la imagen de la Mujer Virtuosa. Lamenta, por ejemplo, la destrucción de la familia a causa del materialismo y mira con nostalgia hacia el pasado, idílico, de España.

4. *La España Moderna*. Revista Iberoamericana. Madrid. 1889-1914. (Primera publicación: enero de 1889). Fundada por Lázaro Galdiano. (1862-1948). Imprenta de Manuel Tello. Publicación mensual. Colaboradores: Emilia Pardo Bazán, Concepción Arenal, Cánovas del Castillo, Menéndez y Pelayo, Palacio Valdés, Zorrilla, Valera, Giner de los Ríos, Gumersindo Azcárate, Urbano González y Serrano, Antonio Pirala y Criado, Luis Vidart y Schuch, Adolfo González Posada, Miguel Plácido Peña, F. F. Villegas y Rafael Altamira, entre otros.

Antonio Pirala y Criado: Historiador, nacido en Madrid el 27 de marzo de 1824. Fue jefe superior de Administración Civil y miembro de la Real Academia de la Historia. Dirigió en Madrid «El Profesorado» (1857) y colaboró en el «Boletín de la Sociedad Geográfica de Madrid», «Flor de la Infancia» (1868), «La Ilustración Española y Americana», «La España Moderna» y otros periódicos. Murió el 22 de junio de 1803.

Luis Vidart y Schuch: fue militar y publicista. Nació en Madrid el 27 de agosto de 1853 y murió en Madrid el 9 de septiembre de 1897. En el Colegio de Artillería redactaba periódicos. A los 19 años colaboraba en «El Semanario Pintoresco Español» y más tarde en «La Prosperidad Pública» (1868), «La Voz del Siglo» (1869), «La Gaceta Popular» (1873), «La España Moderna», «La Ilustración Española y Americana», «Blanco y Negro», «Revista Contemporánea» y otros.

Adolfo González Posada: krausista, doctor en Derecho y Catedrático de la Facultad en la Universidad de Oviedo. Fue autor de numerosas obras políticas, históricas y sociológicas. Colaboró en la «Revista de Legislación y Jurisprudencia», «La Administración» (1898), «Revista Popular» (1898), «La España Moderna» y otros.

Rafael Altamira: historiador español, nacido en Alicante (1866-1951). Escribió dos trabajos importantes: *Historia de España y de la civilización española* y *Psicología del pueblo español*. Colaboró en las siguientes publicaciones: «La Ilustración Española», «La Ilustración Artística», la «Revista Popular» (1897-1898), y otras.

D) Publicaciones para la familia en general.

1. *Museo de las Familias*. Periódico mensual pinto-

resco. Madrid, 1843[4]. (Primera publicación: 25 de enero de 1843). Fundador: don Francisco de Paula Mellado; luego lo dirigió don José Muñoz Maldonado, escritor de novellas folletinescas.

En contra de la moralidad romántica. Se encuentran varias referencias de protesta contra la influencia de las novelas de folletín en la mujer lectora. José de la Revilla establece el tono de la revista cuando escribe: «Una ardiente sensualidad material devora a España» y ataca a aquellos escritores que «se sustraen al mundo espiritual en sus composiciones, estableciendo como principio el egoísmo, contrayéndolo todo a ese yo funesto, destructor de las sociedades».

Colaboran en este periódico, además de Revilla, Benito Vicetto, L. de Juan, J. Legerey, Ruperto García Cañas, J. Q., Enrique Berthoud y F. de P. Mellado.

Samuel Enrique Berthoud fue un escritor francés, nacido en Cambrai (1804-1901). Fundó un periódico en su ciudad natural, donde también estableció cursos gratuitos de higiene, de anatomía, de derecho comercial y de literatura, encargándose él de esto último. En 1882 se trasladó a París. Colaboró en varios periódicos.

Francisco de Paula Mellado fue editor y escritor y una de las personas que más han contribuido en España a desarrollar la lectura, con sus numerosas publicaciones a *dos cuartos* el pliego o entrega. Las que dirigió con carácter periódico fueron, «El Iris» (1841), «Revista Enciclopédica» (1846), «La Semana» (1849-1851), «Revista Histórica» (1851), «El Museo Pintoresco» (1852-1853) y el «Album Pintoresco» (1852-3).

2. *El Periódico para Todos*. Semanario ilustrado. Ma-

[4] *Museo de las Familias:* En 1867 llevaba publicados 25 tomos. Reapareció en Madrid en 1870.

drid: 3 épocas; la primera de 1872 a 1876; la segunda de 1877 a 1879 y la tercera, de 1880 a 1883. (Primera publicación: 2 de mayo de 1872). Escrito por M. Fernández y González, R. Ortega y Frías y T. Tarrago y Mateos. Precio del número suelto: 2 reales.

De tendencia conservadora, el propósito de este periódico es el de servir de medio a la publicación de novelas de fooletín. Además de novelas, incluye artículos sobre viajes, literatura, historia, causas célebres, y otros.

Colaboradores en este semanario fueron: Torcuato Tarrago, el marqués de San Eloy, Vicente Gregorio Aspa, Ramón Ortega y Frías, J. Pascual y Camp de Padros, G. Gómez de Avellaneda, Urbano González Serrano y otros.

Torcuato Tarrago y Mateos fue un fecundo novelista granadino y director en Madrid de «La Verdad» (1860) y de «El Popular» hasta su fallecimiento, ocurrido el 16 de noviembre de 1889. Colaboró en «La Ilustración Católica», «La Ilustración Española y Americana» y otras publicaciones literarias.

Urbano González Serrano fue un distinguido filósofo, nacido en Navalmoral de la Mata en 1848. A los 24 años conquistó la cátedra de segunda enseñanza en el Instituto de San Isidro. Fue autor de numerosas obras de filosofía y crítica; cultivó también el periodismo, tomando parte en «La Correspondencia de España», «La Escuela Moderna», «La Ilustración Española», «Revista Contemporánea», «La España Moderna» y otros.

3. *Semanario de las Familias*. Revista Ilustrada. (Ciencias, artes, letras, agricultura, industria, conocimientos útiles). Madrid, 1882-1883. (Primera publicación: 2 de enero de 1882). Se publica todos los lunes. Imprenta de M. Romero. Cada número constaba al principio de 16 páginas; más adelante sólo 8. Tres columnas por página con grabados.

Semanario progresista dentro del concepto de la educación de la mujer pero sólo dentro del marco de la maternidad. Empuja el concepto de la Mujer Virtuosa educada. Incluye artículos de conocimientos generales, como el de «La ciencia popular».

Colaboradores: Ernesto de la Guardia, H. Rodríguez Pinilla, M. Prieto y Prieto, R. Hernández y Bermúdez, Fiairo Yrayzoz, R. Vega Armentero, Rafael Abellán y Anta y E. de la Peña.

Hipólito Rodríguez Pinilla fue doctor en Medicina, médico director de baños, autor de varias obras científicas y director de la «Revista Hanhemaniana» (1886). Colaboró también en «El Siglo Médico» y los «Anales de la Sociedad Española de Hidrología Médica» (1877).

Ricardo Hernández y Bermúdez fue redactor en Madrid de «El Imparcial» bajo el seudónimo de *Her-Ber* y corresponsal de varios periódicos de provincias. Perteneció a la Asociación de la Prensa (1895) y fue colaborador de «La Ilustración Española y Americana», «Nuevo Mundo», «ABC» (1903) y otros periódicos. Otro de sus seudónimos fue *Arisco y Quoerens*.

Remigio Vega Armentero: abogado, novelista y periodista, nacido el 1 de octubre de 1853 y muerto el 13 de mayo de 1893. Fundó en Valladolid el periódico «La Peñola» y escribió en los de Madrid, «La Justicia», «El Porvenir», «El Progreso», «Los Dominicales del Libre Pensamiento» y «El Motín». Fundó con el señor Díaz Foscada, «El Monitor del Comercio».

4. *La Madre y el Niño*. Revista ilustrada de higiene y educación. Madrid, 1883-1884. Mensual. 16 páginas: dos columnas con grabados. Director fundador: doctor Manuel de Tolosa Latour.

Pide una mejora en la educación de la mujer para que pueda ésta desempeñar su papel de madre de una manera más efectiva. Consiste esta publicación de ensayos, artículos y poesías dándole a la mujer instrucciones y consejos sanitarios orientados a la crianza de hijos saludables. Idealización de la maternidad. Apoya el concepto de la superioridad sentimental de la mujer.

Colaboradores: Mariano Benavente, Juan Pérez Zúñiga y Marcos Zapata (poetas); los doctores Alonso y Rubio, Benavente, Rodríguez Pinilla, Martínez Molina y José Cosano; las escritoras Martina Castells, Concepción Arenal y «Gloria».

Marcos Zapata fue un poeta romántico (1814-1914) y se hizo famoso por su drama en verso *La capilla de Lanuza*.

E) Publicaciones relacionadas con la educación de la mujer

1. *La Mujer*. Revista de instrucción general para el bello sexo. Madrid, 1851-1852. Publicación quincenal. Dirigida por una «Sociedad de Señoras». Colaboran en esta revista una serie de poetisas: Angela Grassi, Natalia B. de Ferrant, Vicenta Villaluenga, Rosa Butler, Matilde Verdejo, la «Ciega de Manzanares».

   Temas en esta revista giran alrededor de la moral. Sugieren una actitud de respeto hacia los valores sociales. Piden que la prostitución sea resuelta por medio de programas morales a través de los cuales se demuestre el triunfo de la virtud sobre el vicio.
2. *La Guirnalda*. Periódico quincenal dedicado «al bello sexo». Madrid, 1867-1883. (Primera publicación: 1 de enero de 1867). Director: Jerónimo Morán. Imprenta de Fortanet, J. Noguera y J. M. Pérez, y la de José María de Lezcano y Roldán. Suscripción: 2 pesetas al mes por la edición completa: incluye diseños de labores, modas y dibujos para

bordar. Cada número consiste de 8 páginas y cada página de dos columnas, con grabados.

El propósito de la revista es el de consagrarse al «recreo e instrucción del bello sexo», a quien procura servir de guía «en cuanto realmente le interesa».

Empieza la revista con un fuerte tono moralizante incitando a la mujer a que adopte una vida virtuosa, basada en los principios religiosos. Se encuentran en esta época una variedad de ensayos y cuentos fundados en historias bíblicas y en la imagen de la Virgen María. En 1873, con la muerte del señor Morán, el tono de la revista cambia. Se encuentran artículos de física, de educación en general. En 1882 pasa a ser una revista de modas. Han desaparecido casi completamente las amonestaciones morales, dándose más énfasis a la «alta costura» francesa, conjuntamente con una serie de novelas de folletín.

Colaboradores: J. M. Yeves, Juan Ramón Sainz, María del Pilar Sinués de Marco, Carlos Villa-María, F. de Alvaro, Manuel María Caballero de Rodes, J. M. Salgado, Salvador Torres Aguilar, Gumersindo Vicuña, Blanca de Gassó y Ortiz, Benito Pérez Galdós y otros.

Manuel María Caballero de Rodas nació en Estepa el 20 de enero de 1815 y murió en Madrid el 1 de septiembre de 1874. Fue director en Madrid de los periódicos «La Fe» (1855), «Los Indios»; colaborador de «El Cascabel», «Los Niños» (1870-1877), «La Primera Edad» (1875) y otras publicaciones literarias.

Blanca de Gassó y Ortiz fue una poetisa. Publicó durante algunos años un «Almanaque de Salón» y colaboró en los siguientes periódicos madrileños: «La Lira», «La Guirnalda», «La Moda Elegante», «El Bazar» y «El Correo de la Moda».

3. *La Ilustración de la Mujer*. Organo de la Asociación Benéfica de Señoras, «La Estrella de los Pobres».

Madrid, 1873-1876. Revista quincenal. Fundada por María Concepción Gimeno de Flaquer. También tuvo como directora a Sofía Tartilán. Imprenta de Gil Gilpi y Ferro. Los productos de la suscripción de la revista, de acuerdo a la misma, eran destinados a la creación de escuelas gratuitas para niñas pobres.

El propósito de la revista es el de estimular la educación física, intelectual y moral de la mujer, así también como los sentimientos de caridad y beneficencia, de justicia, y de protección mutua. Ve el futuro en el pueblo, y por tanto pide que se le eduque en el bien, en la virtud y en la moral.

Colaboradoras: Sofía Tartilán, Matilde Cherner, R. Ginard de la Rosa, Antonio Alvarez Carretero, Josefa Pujol, F. de la Sierra y Javier Tort y Mortarell.

Sofía Tartilán fue autora de libros novelescos y de erudición, así también como redactora del periódico «La Caza» (1865-1868), colaboradora de «El Mediodía» de Málaga y «Revista Contemporánea» y directora de esta revista de 1873 a 1876. Falleció en Madrid el 2 de julio de 1888.

Matilde Cherner fue, además de novelista, colaboradora de «El Tiempo» y otros periódicos de Madrid (1875-1880). Falleció el 15 de agosto de 1880. Usó casi siempre el seudónimo de «Rafael Luna».

Josefa Pujol de Collado: escritora catalana que en 1879 dirigió en Barcelona la revista titulada «El Parthenom». Colaboró en los periódicos «Cádiz», «La Ilustración Ibérica», «La Vanguardia», «Flores y Perlas», «La Ilustración Católica», «El Imparcial», «El Liberal», «Heraldo», «El Nacional», «El Noroeste», de Gijón y otros periódicos. En su época se le consideró precursora del feminismo.

4. *Boletín de la Institución Libre de Enseñanza*. Organo oficial de la «Institución Libre de la Enseñanza».

Madrid, 1877-1930. (Primera publicación, 7 de marzo de 1877). Publicación mensual. Suscripción para un año: 10 pesetas. Número suelto: 50 céntimos. Revista científica, pedagógica y de cultura general.

El propósito de esta publicación es el de respaldar y comunicar los intereses de la Institución. Sobre la Institución menciona que es «ajena a todo espíritu religioso» y que «proclama tan sólo el principio de la libertad e inviolabilidad de la ciencia, y de la consiguiente independencia de su indagación y exposición respecto de cualquier otra autoridad que le da la propia conciencia del Profesor, único responsable de sus doctrinas».

Señalan la importancia de la educación femenina para que pueda cumplir acertadamente los deberes impuestos a su sexo, en aquellas situaciones comunes a todas las mujeres, como miembros del núcleo familiar, de la comunidad, de la patria y de la humanidad en general.

En esta revista colaboran muchos intelectuales krausistas. Como escritora colabora Concepción Arenal.

5. *Instrucción para la mujer*. Organo de la «Asociación para la Enseñanza de la Mujer». (Asociación creada por don Fernando de Castro en 1869). Revista quincenal. Madrid. Se publica los días 1 y 16 de cada mes. Se empieza a publicar en 1882, el 1 de marzo. Director: César de Eguilaz. 16 páginas: dos columnas por página. Imprenta de G. Navarro y M. Piláez.

El propósito de la revista es el de contribuir a una mayor cultura de la mujer a través de su educación moral, intelectual y artística. Sobre el material incluido en esta publicación escriben: «los artículos científicos y literarios discretamente combinados, encierran verdades y doctrinas propias para alimentar con sano fruto el entendimiento de nuestras lectoras... en las revistas extranjeras se da cuenta de todos aquellos adelantos reconocidos para la mujer».

Prevalece la idea de que la educación de la mujer debe alcanzar un término medio, o sea, hasta el momento que se le considere una persona «culta».

Colaboran muchos krausistas: entre ellos se encuentran Melitón Atienza y Sivent y Gumersindo Azcárate. También escriben conocidos pedagogos como Domingo Fernández Arrea y César de Eguilaz, además del ya conocido Manuel Prieto y Prieto.

Gumersindo Azcárate fue político así también como catedrático en la Universidad de Madrid. Fue rector de la «Institución Libre de Enseñanza», miembro de número de la Real Academia de Ciencias Morales y Políticas, electo de la Historia, correspondiente de la Sevillana de Buenas Letras y miembro de otras muchas instituciones. Fue autor de numerosas obras jurídicas, históricas, y de economía social. Fue redactor en 1863 del periódico «La Voz del Siglo» y otras publicaciones como «El Magisterio Español», «La España Moderna» y el «Correo Español» de Buenos Aires.

César de Eguilaz y Bengoechea fue profesor de instrucción primaria y secretario de las Escuelas Normales. Dirigió en Madrid la «Biblioteca de la Infancia» (1864) y el «Periódico de la Infancia».

Domingo Fernández Arrea, además de pedagogo fue director del semanario madrileño «La Mujer Cristiana» (1864). Fundó y dirigió el periódico «La Idea».

6. *La Ilustración de la Mujer*. Revista quincenal. Barcelona, 1883-1884. (Primera publicación: 1 de junio de 1883). Director literario de la revista: don Nicolás Díaz de Benjumea, quien muere el 8 de marzo de 1884.

Se caracteriza esta revista por ser una de las publicaciones más politizadas de la época en cuanto al deseo de mejora social y educativa de la mujer española. Pide la participación de la mujer en la política, el voto femenino, y una educación que prepare a la mujer para el trabajo.

En el primer número, bajo un artículo titulado «Nuestro programa» leemos: «Como ser racional, como ser responsable ante Dios y ante los hombres, la mujer tiene derecho al conocimiento, a la ilustración de esa razón que ha de servirle de guía y de norma de sus actos. Como madre de familia, como miembro de una sociedad, donde tal vez el desamparo ha de obligarla a ganar su subsistencia y la de sus huérfanos, la mujer debe tener entrada y acceso a todas las profesiones y ejercicios compatibles con sus condiciones».

Cada número va acompañado de una sección titulada «Revistas de modas y salones» dedicada exclusivamente a las modas femeninas. En 1884, con la muerte del director, la revista se convierte en *Revista de Modas*, dejando de lado sus aspiraciones feministas.

Colaboran doña Dolores Monserdá de Macía, doña Joseja Pujol de Collado, doña Josefa Estévez de García del Canto, Concepción Arenal y Emilia Pardo Bazán.

Nicolás Díaz de Benjumea: literato que nació en Sevilla el 9 de marzo de 1820 y falleció en Barcelona el 8 de marzo de 1884. Dirigió en Madrid el diario democrático «La Unión» (1864) y redactó «El Programa» (1868-9); fundó el periódico satírico «Fígaro» y dirigió «El Museo Universal». En Londres dirigió «El Eco de Ambos Mundos».

7. *El Vergel de Andalucía*. Periódico de literatura y artes. Dedicado al bello sexo. Córdoba. (Primera publicación: 19 de octubre de 1845). Semanal. Imprenta de don Fausto García Tena.

Consagrado al bello sexo: «En él encontrarán sus lectoras no sólo solaz agradable e instructivo, sino también la vindicación de las más injustas y enconadas inculpaciones». Publicación aparentemente escrita por mujeres («nadie puede comprender a la mujer mejor que la mujer misma») y establece que su propósito es el de «sacar al bello sexo de su senda de perezosa prostración, y ya que ha sido dotado por la naturaleza de tan bellos y seductores atractivos, llamarlo al estudio de las bellas artes, emancipándolo de la oscuridad profunda de una educación limitada y vergonzosa».

La mayoría de los escritos están firmados con el seudónimo de «La Adalia». Colaboran doña Robustiana Armiño, Amalia Fenollosa, Angela Grassi y Carolina Coronado.

Amalia Fenollosa de Mañé fue esposa del periodista don Juan Mañé y Flaquer. Nació en Castellón el 8 de febrero de 1825 y murió en Barcelona muy joven. Publicó varias novelas y numerosos artículos literarios en los periódicos «Revista Vascongada» (Bilbao, 1843), «El Eco Literario» (Valencia, 1844) y «La Lira Española» (Barcelona, 1847).

8. *La Psiquis*. Periódico del bello sexo. Valencia, 1840. Imprenta de Manuel López.

Empuja la idea de que la educación que se le debe dar a la mujer debe estar basada en las artes, «de las cuales sería bueno dar a la mujer aunque fuera artificial». Mantiene que el familiarizarse con las artes «es en cierto modo procurarse un nuevo sentido, pues imitan tan agradablemente la naturaleza y aún la hermosean con tanta frecuencia, que el que las cultiva encuentra un manantial fecundo de placeres siempre renacientes».

F) Revistas de modas y salones

1. *Periódico de las Damas*. Madrid. Comenzó a principios de enero de 1822 y terminó de publicarse el 24 de junio del mismo año. Se publica los lunes de cada semana. Suscripción: 3 pesetas al mes. Una

columna, con figurines fuera del texto. Imprenta en la calle de la Greda y en la de don León Amarita. Redactor principal: don León Amarita.

En el primer número, bajo el título de «Discurso preliminar» establece su propósito cuando le recuerda al hombre lector que sin la mujer «caerías en el desaliento y sucumbirías a los trabajos de la vida». De la mujer dice que es «sensible, sufrida y sumisa». Vuelve a dirigirse al hombre: «sumisa a tu voluntad, digna de ser amada por todas sus prendas físicas y morales, ella te servirá de consuelo, fortificará tu alma, dividirá tus penas, y a manera de un ángel consolador sobre la tierra, estará siempre a tu lado para servirte de apoyo...».

Todos los escritos en esta obra (con excepción de un poema firmado por L. A. y A.) son anónimos, aunque por el estilo se deduce que es una sola persona la que escribe.

2. *La Moda*. Revista semanal de literatura, ciencias y arte. Cádiz, 1842-1927. Comenzó en Cádiz el 1 de mayo de 1842 y terminó en Madrid. En 1842 cada número tenía cuatro páginas, con dos columnas por página, más grabados y figurines iluminados, pliegos de labores y de patrones fuera del texto. En 1855 constaba de 8 páginas.

   En 1863 cambia de nombre: «La Moda Elegante». Don Abelardo de Carlos la adquiere en 1864 con el nombre de «La Moda Elegante e Ilustrada». Se traslada a Madrid el 30 de abril de 1870. Desde enero de 1922 sale mensualmente con 28 páginas, y en enero de 1927 se hace quincenal.

   En Cádiz: Imprenta de «El Comercio» y en la de «la Revista Médica». En Madrid: Imprenta de «La Ilustración», en la de Fontanet, en la de los sucesores de Rivadeneyra, y finalmente en la de Renacimiento.

   Revista casi exclusivamente dedicada a la propagación de la moda y a reseñas de teatro, ópera y música en general. Mucho interés en París. Orientada a un público elegante y socialmente sofisticado.

Colaboradores: L. Buren, don Francisco Sánchez del Arco, J. E. Hartzenbusch, María del Pilar Sinués de Marco, Robustiana Armiño de Cuesta y Patrocinio de Biedma.

Juan Eugenio Hartzenbusch nació en Madrid en 1806 y murió en 1880. Se le conoció principalmente por sus dramas románticos de temas históricos como *Los amantes de Teruel*, *Doña Mencía*, *Alfonso el Casto*, *La Jura de Santa Gadea* y por sus comedias: *La redoma encantada* y *Los polvos de la madre Celestina*.

Robustiana Armiño de Cuesta fue una fecunda escritora que colaboró en los periódicos «El Pensamiento» de Badajoz (1844), «El Guadiana» de la misma capital (1845), «La familia» (1875), «Los Niños» (1870-77), «La Primera Edad» (1875), «El Altar y el Trono» y la «Ilustración Gallega y Asturiana». Fundó y dirigió en Madrid el semanario «Ecos del Auseva» (1864-69). Nació en Gijón y falleció en Madrid el 17 de junio de 1890.

3. *Correo de la Moda*. Periódico del bello sexo. Quincenal. Madrid, 1851-1886. (Primera publicación: 1 de noviembre de 1851). Suscripción: 6 reales al mes. 16 páginas. Dos columnas con grabados y litografías en negro y en color dentro y fuera del texto.

En 1856 se subtitula «Album de Señoritas»: periódico de literatura, educación, música, teatros y modas.

En 1872 se subtitula «Periódico ilustrado para las señoras»; editor y propietario: Carlos Grassi. Angela Grassi, directora entre los años 1867-1883.

Propósito del periódico: quiere brindar al bello sexo un periódico que reúna «a las cualidades de religión y moral, las de instrucción y recreo, un periódico, en fin, que desde el perfumado gabinete de la elegante pueda trasladarse al reducido aposento de la colegiala y de aquí al taller de la graciosa modista, y en el cual la elegante, la colegiala y la modista tengan un objeto que alimente su curiosidad y robustezca su educación». Este periódico es básicamente un periódico dedicado a la propagación de la moda francesa y a la transmisión de ideas y comportamientos sociales del otro lado de los pirineos. A pesar de lo establecido en su «propósito» se dirige exclusivamente a un público femenino pudiente.

Colaboradores: Ricardo Saunders, Santos Julio Nombela, Pablo Ortiga Rey, Carlos Frontaura, José López de la Vega, José del Castillo y Soriano, Abdón de Paz, Arturo Saborit, la C. de B., Elisa Acloque, Robustiana Armiño de la Cuesta, Dolores Cabrera y Heredia, Juana de Olivares, Micaela de Silva, Faustina Sáez de Melgar, Camila Avilés, Joaquina Balmaseda, Eduarda Feijóo de Mendoza, Blanca de Gassó y Ortiz, María de la Concepción Gimeno, Amparo García, Angela Ruiz, Almerinda T. Chicón, A. L. y S. H.

Carlos Frontaura y Vásquez fue un fecundo y laborioso literato, nacido en Madrid en 1835. Fue redactor en Madrid de «El Reino» (1857), «La Educación Pintoresca» (1857), «El Día» (1858), director de «El Grillo» (1859) y «Los Niños». Fue director de «La Gaceta de Madrid» (1885) y colaborador en «La Ilustración Española y Americana» y «La Ilustración Artística» de Barcelona.

José López de la Vega fue doctor en Medicina y miembro de numerosas organizaciones científicas. También fue redactor de «El Ferrocarril» (Pontevedra, 1861) y «El Progreso» (Pontevedra, 1865) durante 30 años. En Madrid fue redactor de «El Genio Médico-Quirúrgico», «El Anfiteatro Anatómico» y otros periódicos profesionales y políticos. Murió en la mayor pobreza el 8 de febrero de 1888.

Santos Julio Nombela fue un fecundo autor dramático, novelista y periodista. Nació en Madrid el 1 de noviembre de 1836. Desilusionado del teatro se consagró a la novela y al periodismo. Tuvo mucho éxito con su novela «La Piedra Filosofal» firmada con el seudónimo de «Doctor Obleman». Utilizó otros seudónimos, como «Vicencio», «Fidelio», «Pedro Jiménez», «Mayoliff-Mayoloff», «Juan de Madrid» y «Mario Lara», entre otros. Entre las muchas publicaciones en las que participó están: «La Epoca» (1864-68), «Los Niños» (1870), «El Tocador» (1872), «La Ultima Moda» (1888). Fundó «La Brújula» con Andrés Borrego; al refundirse «El Museo Universal» en «La Ilustración Española y Americana» organizó el nuevo periódico y tuvo a su cargo el primer año la crónica con que se encabezaban todos los números. Perteneció a la Asociación de la Prensa de Madrid (1896) y fue vocal de la Junta directiva de la de Escritores y Artistas de la que fue uno de sus fundadores en 1871.

Juana de Olivares fue colaboradora de la «Educación Pintoresca» en 1857.

Micaela de Silva fue una escritora que nació en Oviedo el 8 de mayo de 1809 y murió en Jadroque el 20 de julio de 1884. Además de ser una constante colaboradora en esta revista, participó también en «La Mujer Cristiana», «La Defensa de la Sociedad», «Las Cortes» y «La Ilustración Católica». Firmaba también con el seudónimo de «Camila Avilés».

Faustina Sáez de Melgar fue escritora nacida en Villamanrique en 1834 y fallecida en Madrid el 19 de marzo de 1895. Escribió numerosas obras novelescas y de educación. A ella se debió la fundación de varias instituciones benéficas y educativas. Colaboró muy activamente en los periódicos «El Trono y la Nobleza», «El Correo de la Moda», «La Antorcha», «La Iberia», «El Occidente», «La

Discusión», «La Epoca», «La Guirnalda», «La Mujer», «La Edad Dichosa» y «El Día». También fundó y dirigió «La Violeta» (1862-66) periódico declarado de texto por real orden del 15 de noviembre de 1863 y «La Canastilla de la Infancia» (1882) y «París Charmant» (1884) hasta su muerte.

Eduarda Feijóo de Mendoza fue novelista y colaboradora de un gran número de periódicos literarios de Madrid y provincias.

María de la Concepción Gimeno de Flaquer fue escritora y propagandista de los derechos dé la mujer. En su primera juventud fundó en Madrid «La Ilustración de la Mujer» (1872) y colaboró en «La Mujer», «El Correo de la Moda», «La Familia» y «El Ramillete» de Barcelona. Casada con don Francisco Flaquer residió algunos años en Méjico, donde dirigió la ilustración hispano-americana «El Album de la Mujer», que en 1889 trasladó a Madrid, donde se publicó con el título de «Album Ibero-americano». Colaboró en «La Correspondencia de España», «Pluma y Lápiz» (1903) y otros periódicos.

G) Otras revistas y periódicos

1. *Ellas*. Organo oficial del sexo femenino. Quincenal[5]. Madrid: empezó el 1 de septiembre de 1851. Se declara inicialmente vocero de la emancipación femenina, pero de ahí pasa a ser una simple revista al estilo de las revistas de modas y salones. Se lee en el prospecto de la primera edición: «La Europa entera se ha estremecido al solo preludio de nuestra cruzada femenina; todos los países han escuchado atónitos el grito de regeneración por nosotras...». El propósito del periódico, según las escritoras es

[5] Desde la publicación número tres (8 de octubre de 1851) se tituló *Ellas*, gaceta del bello sexo. Al principio fue quincenal, después semanal.

el de brindar un vehículo literario donde «se ventilen todas las cuestiones [femeninas] que hasta el día hayan permanecido entre el polvo del olvido». La editora en este período fue doña Alicia Pérez de Gascuña.

En 1851 se subtituló «Gaceta del bello sexo» y a finales del 52 cambia de nombre totalmente a «Album de Señoritas». En 1853 se titula «Album de Señoritas y Correo de la Moda» imitando el «Courrier de la Moda» de Emile de Girardin.

También, a partir del número 3, del 8 de octubre de 1851 aparece semanalmente: 8 páginas, dos columnas, con figurines fuera del texto.

Colaboradores: B. S. Castellanos, F. M. López y D. de T.

Girardín fue un novelista francés, nacido en Loches en 1832 y muerto en París en 1888. Fue profesor de primera enseñanza en Angers, Douai y Versalle. Dedicóse a escribir novelas para la juventud, género en el que sobresalió. Asimismo, colaboró en la «Revue Europienne», la «Revue des Deux Mondes», en el «Journal de la Jeunesse» y otros.

2. *El Cupido*. Periódico semanal de literatura, poesía y modas, dedicado al bello sexo. Madrid. Se publica el primer número el 30 de mayo de 1848. Cesa en julio del mismo año. Sale todos los domingos de cada mes, acompañado de un tomo de 48 páginas de novelas, tanto originales como traducidas. Imprenta de don Fernando de Casanova. Precio de suscripción: 8 reales al mes. Se convierte en «El Cupido y la Luna» a partir del quinto número.

   Propósito: «Ilustrar y recrear al bello sexo». Desea, por medio de su publicación, proporcionar a poetizas y literatas desconocidas con un medio por el que puedan darse a conocer.

   Colaboradores: Juan Jacobo de Fuentes, A. Sierra y L.

3. *El Tocador*. Gacetín del bello sexo: periódico semanal de educación, literatura, anuncios, teatros

y moda. Madrid. Se publica por primera vez el 3 de octubre de 1844. Sale todos los jueves, con cuatro figurines. Suscripción: 6 reales al mes. 16 páginas. Una columna. Con figurines. Establecimiento artístico y literario de Manini y Compañía.

Periódico frívolo, dedicado exclusivamente a un público clase media-alta. Presencia abundante de novelas traducidas del francés y el inglés.

III. *Tratados moralistas sobre la mujer*

Aunque estas obras no se pueden incorporar dentro de las dos clasificaciones previas, ya que se salen del marco literario popular, son interesantes en que presentan, o corroboran, a su propia manera, el tipo de la Mujer Virtuosa.

A) Don Severo Catalina, *La mujer en las diversas relaciones de la familia y la sociedad.* Apuntes para un libro. (Madrid: Imprenta de Luis García, 1858). «Prólogo» de Ramón de Campoamor.

Esta obra se sigue leyendo en el siglo XX, como lo comprueba la decimoséptima edición de 1944, en la librería y casa editora, Hernando. Salió a luz originalmente en series en un diario político.

El propósito de esta obra es inculcar en la mujer lectora el deseo de educarse cristianamente. Critica el autor la educación de la mujer porque carece de elementos imprescindibles como son la obediencia y la humildad. De la educación lo que más le molesta a don S. Catalina es el conflicto que emana de la educación que se le da a la mujer y de lo que se espera de la misma. Leemos: «se han ponderado constantemente sus gracias [de las mujeres] y exagerado sus perfecciones, y se lleva a mal que sean orgullosas. Se les ha hecho apartar de los pobres y de los desvalidos por miedo de que ensucien sus vestidos, y se anhela que sean caritativas» (p. 94).

B) Doctor don Francisco Alonso y Rubio, *La mujer bajo el punto de vista filosófico, social y moral:* sus deberes en relación con la familia y la sociedad. (Madrid, D. F. Gamayo, 1863).

Obra dedicada a la propagación de la virtud como el único elemento de perfección en la mujer. Brinda este libro una lista de preceptos necesarios para adquirir el estado virtuoso. Mucho énfasis en el «aumento desproporcionado» del adulterio cometido por la mujer. Esta obra analiza a la mujer de clases pudientes, o, en otras palabras, a la mujer que puede darse el lujo de vestirse bien, de mostrarse en funciones públicas —como el teatro— y de gozar del servicio doméstico.

C) UBALDO R. QUIÑONES: *La educación moral de la mujer.* (Madrid, Alvarez Hermanos, 1877).

A través de esta obra, el autor pide el desarrollo de una educación orientada a la mujer. Esta educación debe ser «esencialmente moral» (mientras que la del hombre es «racional»). Critica el materialismo que corrompe la época y llama a la mujer «educada moralmente» a que regenere al hombre por medio del amor casto: «Sólo la doncella cristiana, sintiendo el amor en su más sublime concepción, puede decir al hombre con un melancólico suspiro, polvo divinizado: aspira la vida de la inmortalidad... levántate del polvo de la tierra » (p. 50). Para Quiñones, «la mujer es el único legislador moral de los pueblos» (p. 53). Se refiere a la misión regeneradora de la mujer como «el sacerdocio».

IV. *Otras obras literarias*

A) Romances.

1. CARLOS FRONTAURA: *Romances populares.* (Madrid, 1867: Imprenta de don Carlos Frontaura, a cargo de Ramón Bernardino».
2. *Novismo romancero español*, editado por la Biblioteca Enciclopédica Popular Ilustrada. (Madrid, 1878). Tipografía de G. Estrada.

La mayoría de los romances presente en estas obras son escritos por personas específicas y no son el producto de una tradición oral. Lo curioso de estos romances es que fueron escritos por asiduos colaboradores de otros medios literarios, como eran las novelas de folletín y las revistas y periódicos previamente mencionados. Entre algunos de los nombres más conocidos están: Patrocinio de Biedma, María del Pilar Sinués de Marco, Faustina Sáez de Melgar, Sofía Tartilán, Carlos Coello, Fernández y González y Eduardo Palacios.

B) Cuentos.

RAFAEL DEL CASTILLO: *La mujer-amor*. Estudio general del amor en la mujer, bajo todas sus manifestaciones, en todos los países y en diversas épocas. (Barcelona: Molinos, Hermanos, editores, 1881).

Esta serie de cuentos tratan de describir las diferentes facetas del amor femenino. En la primera página de la obra, el escritor señala que sus cuentos son una colección de «cuadros de sentimiento maternal, filial o conyugal; episodios de pasión y de ternura; páginas de gloria o de venganza, cuya protagonista es siempre la mujer».

C) Novela.

P. LUIS COLOMA, S. I.: *Pequeñeces*. (Madrid, Editorial «Razón y Fe», S. A., 1950), 4.ª edición, 2 tomos.

Esta obra primero se publicó en Bilbao, en la revista «El Mensajero del Corazón de Jesús» el 1 de enero de 1890.

El Padre Luis Coloma ve la literatura como un púlpito por medio del cual se logra alcanzar un público necesitado de rehabilitación moral. Critica especialmente la clase aristocrática, personificada en la figura de su protagonista, doña Francisca de Borjas Solís y Gorbia, condesa de Albornóz, marquesa de Catañalzor, dos veces grande de España por derecho propio...». Ataca específicamente la relajación de esta clase creada por «la misma confusión de ideas que en todas las órdenes reina» (tomo I, p. 7).

D) Obras costumbristas.

Estas obras empezaron a aparecer esporádicamente anterior a 1830. A partir de esta fecha, sin embargo, van adquiriendo más vigor, hasta convertirse en un movimiento literario gracias a los esfuerzos de algunos escritores y escritoras de la época. Fue el costumbrismo el producto de una crisis de nacionalidad. Añoran los costumbristas el pasado castizo, y lamentan los cambios por los que está pasando España, incluyendo aquellos que afectan la posición tradicional de la mujer.

1. RAMÓN DE MESONEROS ROMANOS: *Escenas matritenses y Escenas andaluzas.* (*Obras completas*, tomo I (CXCIX) y II (CC)).

   Estos «cuadros» costumbristas se publicaron por primera vez en la «Revista Española» y en «Cartas Españolas» bajo el seudónimo de «El Curioso Parlante» en 1834. También fueron publicados en un volumen titulado, *Panorama matritense*, por la Imprenta Repullés, en Madrid: el primer y segundo volumen en 1835 y el tercero en 1838.

2. *Los españoles pintados por sí mismos.* (Madrid, Editorial Libra, S. A., 1971). Prólogo de nueve páginas escrito por Joaquín del Moral Ruiz.

   Obra colectiva de varios novelistas, periodistas y profesionales, publicada por primera vez en 1834 por la Ed. Boix, en Madrid. La segunda impresión fue en 1851, por Gaspar y Roig, también en Madrid.

3. ANTONIO FLORES: *Fe, esperanza y caridad.* (Madrid, Imprenta de los señores Martínez y Minuesa, 1851), 3.ª edición. Tres tomos. El tercer tomo contiene una crítica de la novela, en las páginas 383-406.

   Esta obra, dedicada a la Reina doña Isabel II, empezó a publicarse en folletines del periódico «La Nación». Flores se refiere a esta obra como un «cuadro de costumbres», los cuales tienden a difundir un «socialismo distinto del que proclaman los novelistas franceses». (Prólogo, p. xiii).

4. *Mujeres españolas del siglo XIX*. (Madrid, Ediciones Atlas, 1944).

Roberto Robert coleccionó estos artículos bajo el título de *Las españolas pintadas por los españoles*. (Madrid, 1871-1872), 2 volúmenes.

Es esta obra una selección de una serie de «retratos más significativos de tipos femeninos del siglo XIX, con el intento de poner en claro... lo que... piensan en España con respecto a las hembras sus compatriotas» (p. 5).

5. *Las mujeres españolas, portuguesas y americanas* tales como son en el hogar doméstico, en los campos, en las ciudades, en el templo, en los espectáculos, en el taller y en los salones. (Madrid, Imprenta y librería de don Miguel Guijarro, editor, 1872). «Prólogo» de don Antonio Cánovas del Castillo.

6. ANTONIO FLORES: *Tipos y costumbres españolas*. (Sevilla, Francisco Alvarez y Cía., editores, 1877). «Prólogo» de Angel Lasso de la Vega.

El objeto de esta obra es el de procurar que a través de su lectura «se conserven en los pueblos sus buenos usos tradicionales evidenciando sus ventajas en contraposición con las innovaciones perjudiciales a que no reportan bien alguno, que impongan la moda, los intereses de circunstancias, las pasiones menos contenidas, las tentadoras ideas del lujo y la ostentación, el desmedido anhelo de goces y bienestar nunca satisfecha, o los sucesos públicos que tanto suelen cambiar el modo de ser de las sociedades» (p. xiv).

Critica esta obra violentamente la frivolidad de la burguesía y de la aristocracia. De acuerdo a Flores, esta actitud se refleja especialmente en la mujer, por ser ésta la que «desmenuza al próximo», para dedicarse al lujo y a la ropa.

7. *Las mujeres españolas, americanas y lusitanas* pintadas por sí mismas. «Obra dedicada a la mujer por la mujer». (Barcelona, Editorial de Juan Pons,

1881). Bajo la dirección de doña Faustina Sáez de Melgar.

Todas las secciones de esta obra fueron escritas por mujeres. En la «Introducción» escrita por la directora, se menciona que lo que se quiere lograr es presentar el «término medio» de la mujer: ni ángel ni demonio. Desean despertar en la mujer la necesidad de un perfeccionamiento intelectual y moral (p. vii). Pide la escritora, por otro lado, que la mujer no se separe de la «verdadera vía femenina» para invadir un terreno «que no es ni puede nunca ser el suyo» (p. vii). El propósito de la mujer lo define la escritora de la siguiente manera: «La mujer no ha nacido más que para ser mujer; es decir, para ser la compañera del hombre, su amiga, su hermana, su madre, su esposa, su hija, su consejera desinteresada, su ángel de caridad en sus tribulaciones y la estrella de su esperanza en sus momentos de desaliento» (p. vii).

Para Sáez de Melgar y para las otras escritoras participantes de esta obra, la familia es el verdadero reino de la mujer, y únicamente en el hogar doméstico es donde reside «su trono» (p. ix): «buscar a la mujer fuera de estos sitios, es exponerse a no encontrarla» (p. ix).

8. ANTONIO FLORES: *Ayer, hoy y mañana* o la fe, el vapor y la electricidad. (Barcelona, Montaner y Simón, editores: primer tomo, 1892; segundo tomo, 1893 y tercer tomo, 1894).

Flores se refiere a esta obra como «cuadros sociales de 1800, 1850 y 1899). Quiere con ellos retratar la sociedad y su evolución en estas tres épocas —evolución que para el escritor no implica necesariamente un cambio positivo—.

BIBLIOGRAFIA

FUENTES PRIMARIAS

La Armonía.

Sin título. II, n.º 43, 28 de marzo de 1871, pp. 1-2.
Sin título. II, n.º 47, 11 de abril de 1871, pp. 1-2.

La Aurora.

«A Y. J.» (poema.), ANTONIO DEL CASTILLO Y MENDOZA. 16 de febrero de 1846, pp. 13-14.

«A Y. J.» (poema.), SEBASTIÁN REJANO. Sevilla, 16 de febrero de 1846, pp. 5-6.

Boletín de la Institución Libre de Enseñanza.

«Conclusiones presentadas al Congreso pedagógico por varios profesores de la I. L. de E.», VI, n.º 128, 17 de junio de 1882, p. 126.

«La Asociación para la enseñanza de la mujer». D. M. RUIZ DE QUEVEDO. VII, n.º 143, 31 de enero de 1883, pp. 17-20.

«Don Fernando de Castro como educador». D. R. M. DE LABRA. XII, n.º 282, 15 de noviembre de 1888, pp. 265-269; XII, n.º 283, 30 de noviembre de 1888, pp. 277-281.

«La rehabilitación de la mujer». D. R. M. DE LABRA. XV, n.º 342, 15 de mayo de 1891, pp. 138-144; XV, n.º 344, 15 de junio de 1891, pp. 169-174; XV, n.º 345, 30 de junio de 1891, pp. 187-191; XV, n.º 347, 31 de julio de 1891, pp. 219-224; XV, n.º 348, 15 de agosto de 1891, pp. 235-240.

El Católico.

«Afectos de una madre». Murcia. N.º 49, 21 de octubre de 1820, pp. 389-390-391.

La Ciencia Cristiana.

«Los puntos negros de la ciencia moderna». (Lecciones pronunciadas ante la juventud católica de Madrid). JUAN MANUEL ORTÍ Y LARA. Vol. I, 1877, pp. 9-21.

«Variedades. Discursos leídos ante la Real Academia española en la recepción pública del excelentísimo señor don Pedro Antonio de Alarcón, el 25 de febrero de 1833». Vol. I, 1877, pp. 370-373.

«La mujer arábigo-hispana». F. JAVIER SIMONET. Vol. II, 1877, pp. 413-433.

«Una mujer fuerte». JUAN ORTÍ Y LARA. (Hermanas del servicio doméstico). Vol. IV, 1877, pp. 463-467.

El Correo de la Moda. Madrid.

«La moda». I-1-10 de noviembre de 1851, pp. 3-5.

«Una joven caprichosa» (cuento). La C. de B. Año I, n.º 4, 4 de diciembre de 1851, pp. 51-58.

«El camino de la fortuna». RICARDO SAUNDERS. Año II, n.º 5, enero de 1852, pp. 69-75.

«Una amiga peligrosa» (cuento). La C. de B. I. II-6, enero de 1852, pp. 83-90; II. II-7, febrero de 1852, pp. 102-107; III. II-8, febrero de 1852, pp. 116-119.

«Las dos amigas» (cuento). ELISA ACLOQUE. Año 2, n.º 9, tomo 1, febrero de 1852, pp. 131-139.

«Carta a lector». A. L. Año 2, n.º 10, tomo 1, marzo de 1852.

«Condesa y labradora». Cartas de Elisa de Chauny a Clotilde Dupre, por la C. de B. II, n.º 10, marzo de 1852.

«Estracto de las memorias del doctor Lallemand sobre la educación física de las jóvenes». Año 2, n.º 15, junio de 1852, pp. 232-234.

«Estudios biográficos: Condorcet». Año II, n.º 20, agosto de 1852, pp. 307-311.

«Carolina», por S. H. Año II, n.º 25, noviembre de 1852, pp. 391-5.

«Instrucción». A. PIRALA. Año VI, n.º 146, M. 6 de enero de 1856.

«Instrucción: la amistad». A. PIRALA. Año VI, n.º 182, M. 16 de octubre de 1856, pp. 325-6.

«Luisa» (poema). SANTOS JULIO NOMBELA. Año VI, n.º 147, 24 de enero de 1856, p. 18.

«El adolescente» (poema). ANTONIO ARNAO. Año VI, n.º 187, 24 de noviembre de 1856, p. 370.

«Julia». PABLO ORTIGA REY. Año VI, n.º 155, 24 de marzo de 1856, pp. 92-93.

«Instrucción: un pensamiento de La Bruyere». Año VI, n.º 156, 31 de marzo de 1856, pp. 97-98.

«Instrucción: de los afectos del corazón». A. PIRALA. Año VI, n.º 157, 8 de abril de 1856, pp. 109-110.

«Julia». Año VI, n.º 157, 16 de abril de 1856, pp. 119-122.

«Instrucción: de los afectos». A. PIRALA. Año VI, n.º 159, 24 de abril de 1856, pp. 125-6.

«Instrucción: la sociedad». A. PIRALA. Año VI, n.º 161-7, 8 de mayo de 1856, pp. 141-142.

«Contra soberbia humildad» (novela). ROBUSTIANA ARMIÑO DE LA CUESTA. Año VI, n.º 162, 16 de mayo de 1856, p. 152.

«Educación e instrucción». Año VII, n.º 217, 8 de julio de 1857, pp. 193-194.

«La corona de violetas» (novela original). DOLORES CABRERA Y HEREDIA. Año VI, n.º 170, 16 de julio de 1856, pp. 221-223.

«La corona de violetas». DOLORES CABRERA Y HEREDIA. Año VI, n.º 171, M. 24 de julio de 1856, pp. 228-229.

«Instrucción: consejos de una madre a su hijo, por la marquesa de Lambert». A. PIRALA. Año VI, n.º 170, 16 de julio de 1856, pp. 217-218.

«Instrucción: consejos de una madre a su hijo, por la marquesa de Lambert». Año VI, n.º 171, 24 de julio de 1856, p. 225.

«La corona de violetas». DOLORES CABRERA Y HEREDIA. Año VI, n.º 171, 24 de julio de 1856, pp. 228-229.

«Educación». A. PIRALA. Año VI, n.º 175, 24 de agosto de 1856, pp. 261-262.

«Educación: la política». A. PIRALA. Año VI, n.º 177, 8 de septiembre de 1856, p. 281.

«Amor de poeta» (poema). CARLOS FRONTAURA. Año VI, n.º 177, 8 de septiembre de 1856, p. 282.

«Instrucción». A. PIRALA. Año VI, n.º 178, 16 de septiembre de 1856, pp. 289-290.

«Instrucción: la juventud y la vejez». A. PIRALA. Año VI, n.º 184, 31 de octubre de 1856, pp. 341-342.

«Instrucción: enaltecimiento de la mujer». Año VI, n.º 185, 8 de noviembre de 1856, pp. 353-354.

«Instrucción: enaltecimiento de la mujer». Año VI, n.º 186, pp. 361-362.

«El ramo de margaritas». ZAHARA. Año VI, n.º 186, 16 de noviembre de 1856, pp. 363-364.

«Instrucción: pensamientos de Balzac sobre la mujer». A. PIRALA. Año VI, n.º 189, 8 de diciembre de 1856, pp. 389-398.

«Instrucción: pensamientos de Balzac sobre la mujer». A. PIRALA. Año VI, n.º 190, 16 de diciembre de 1856, pp. 397-398.

«La virtud y el vicio». CARLOS FRONTAURA. Año VI, n.º 192, 31 de diciembre de 1856, pp. 414-415.

«Instrucción: sobre la educación de la mujer». A. PIRALA. Año VII, n.º 209, 8 de mayo de 1857, pp. 129-130.

«Instrucción: algunas reflexiones sobre el amor». A. PIRALA. Año VII, n.º 202, 16 de marzo de 1857, pp. 73-75.

«Una buena acción» (cuento). JUANA DE OLIVARES. Año VII, n.º 221, 8 de agosto de 1857, pp. 229-231.

«Instrucción: Hertha». A. PIRALA. Año VII, n.º 237, 8 de diciembre de 1857, pp. 353-354.

«La pureza» (poema). JOSÉ LÓPEZ DE LA VEGA. Año VII, n.º 222, 16 de agosto de 1857, pp. 239-240.

«Instrucción: influencia de la mujer en la civilización europea». A. PIRALA. Año VII, n.º 225, 8 de septiembre de 1857, pp. 257-258.

«Instrucción: el teatro y la novela». A. PIRALA. Año VII, n.º 233, 8 de noviembre de 1857, pp. 321-322.

«El médico de los pobres». G. NÚÑEZ DE ARCE. (Traducido del francés). Año VII, n.º 238, 16 de diciembre de 1857, pp. 363-364.

«Gloria» (poema). P. A. DE ALARCÓN. Año VII, n.º 239, 24 de diciembre de 1857, p. 370.

«Instrucción: la verdadera grandeza». ANGELA GRASSI. Año XVI, n.º 630, 16 de febrero de 1866, p. 42.

«Instrucción: Cristina de Suecia». ANGELA GRASSI. Año XVI, n.º 638, 16 de abril de 1866, pp. 107-108.

«Instrucción: doña Juana la Loca». ANGELA GRASSI. Año XVI, n.º 647, 24 de junio de 1866, pp. 178-180.

«La hermosura del alma» (novela). MICAELA DE SILVA. Varias series: Año XVI, n.º 645, 8 de junio de 1866, pp. 165-167; año XVI, n.º 648, 30 de junio de 1866, pp. 190-191; año XVI, n.º 652, 31 de julio de 1866, pp. 221-223; año XVI, n.º 653, 8 de agosto de 1866, pp. 231-232; año XVI, n.º 656, 16 de agosto de 1866, pp. 237-238.

«La décima musa» (cuento). MICAELA DE SILVA. Año XVI, n.º 660, 30 de septiembre de 1866, pp. 285-286; año XVI, n.º 661, 8 de octubre de 1866, pp. 292-293.

«Literatura: la modestia y la vanidad». FAUSTINA SAEZ DE MELGAR. Año XVII, n.º 674, 16 de enero de 1867, pp. 12-14.

«Literatura: la primera arruga y el primer diente». CAMILA AVILÉS. I. Año XVII, n.º 675, 24 de enero de 1867, pp. 20-21; II. Año XVII, n.º 676, 31 de enero de 1867, pp. 28-30.

«La primera arruga y el primer diente». CAMILA AVILÉS. (Cuento). Año XVIII, n.º 677, 8 de febrero de 1867, pp. 37-38.

«Amor y coquetismo» (cuento). MICAELA DE SILVA. I. Año XVII, n.º 678, 16 de febrero de 1867, pp. 45-47; II. Año XVII, n.º 679, 28 de febrero de 1867, pp. 53-55; III. Año XVII, n.º 680, 28 de febrero de 1867, pp. 60-62; IV. Año XVII, n.º 681, 8 de marzo de 1867, pp. 69-71.

«Instrucción: penas y placeres». ANGELA GRASSI. Año XVII, n.º 689, 8 de mayo de 1867, pp. 130-131.

«La cruz del olivar». FAUSTINA SAEZ DE MELGAR. Año XVII, n.º 682, 15 de marzo de 1867, pp. 77-79; año XVII, n.º 685, 8 de abril de 1867, pp. 101-102; año XVII, n.º 686, 16 de abril de 1867, pp. 190-211; año XVII, n.º 687, 24 de abril de 1867, pp. 116-118; año XVII, n.º 688, 30 de abril de 1867, pp. 125-127; año XVII, n.º 689, 8 de mayo de 1867, pp. 132-134; año XVII, n.º 690, 16 de mayo de 1867, pp. 140-143; año XVII, n.º 691, 24 de mayo de 1867, pp. 149-151; año XVII, n.º 692, 31 de mayo de 1867, pp. 157-158.

«Instrucción: la buena esposa». ANGELA GRASSI. Año XVII, n.º 697, 8 de julio de 1867, pp. 194-196.

«Instrucción: el ángel de Polonia». ANGELA GRASSI. Año XVII, n.º 696, 30 de julio de 1867, pp. 186-188.

«La huérfana» (balada). JOSÉ DEL CASTILLO Y SORIANO. Año XVII, n.º 719, 24 de diciembre de 1867, p. 374.

«Ernestina» (novela). ANGELA GRASSI. N.º 5, 2 de febrero de 1872, pp. 37-39.

«Quien sólo flores posee, sólo da flores» (cuento). ANGELA GRASSI. Año XXII, n.º 7, 18 de febrero de 1872, pp. 51-53.

«La mancha del bisturí» (cuento). OBDÓN DE PAZ. Año XXII, n.º 9, 2 de marzo de 1872, pp. 66-68.

«El beso de una madre» (anécdota). Doctor LÓPEZ DE LA VEGA. Año XXII, n.º 15, 18 de abril de 1872, pp. 114-115.

«Modestia y vanidad» (novela). Del francés, arreglado por MARÍA DEL PILAR SINUÉS DE MARCO. Año XXII, n.º 15, 18 de abril de 1872, pp. 118-119; año XXII, n.º 17, 2 de mayo de 1872, p. 135; año XXII, n.º 19, 18 de mayo de 1872, p. 151.

«La mujer artista». JOAQUINA BALMASEDA. Año XXII, n.º 27, 18 de junio de 1872, pp. 209-210.

«El antifaz de terciopelo» (novela original). EDUARDA FEIJÓO DE MENDOZA. Año XXII, n.º 27, 18 de julio de 1872, pp. 213-215; año XXII, n.º 29, 2 de agosto de 1872, pp. 227-230; año XXII, n.º 31, 18 de agosto de 1872, pp. 246-247; año XXII, n.º 33, 2 de septiembre de 1872, pp. 262-263; año XXII, n.º 35, 18 de septiembre de 1872, pp. 278-279; año XXII, n.º 37, 2 de octubre de 1872, pp. 294-5; añn XXII, n.º 39, 18 de octubre de 1872, pp. 310-311; año XXII, n.º 41, 2 de noviembre de 1872, pp. 326-327; año XXII, n.º 43, 18 de noviembre de 1872, pp. 342-343; añn XXII, n.º 45, 2 de diciembre de 1872, pp. 358-359; año XXII, n.º 47, 18 de diciembre de 1872, pp. 373-375; año XXIII, n.º 2, 10 de enero de 1873, pp. 14-15; año XXIII, n.º 4, 26 de enero de 1873, pp. 30-31; año XXIII, n.º 6, 10 de febrero de 1873, pp. 46-47; año XXIII, n.º 8, 26 de febrero de 1873, pp. 62-63; año XXIII, n.º 10, 10 de marzo de 1873, pp. 78-79; año XXIII, n.º 12, 26 de marzo de 1873, pp. 94-95; año XXIII, n.º 14, 10 de abril de 1873, pp. 110-111; año XXIII, n.º 16, 26 de abril de 1873, pp. 126-127; año XXIII, n.º 17, 2 de mayo de 1873, pp. 134-135; año XXIII, n.º 18, 10 de mayo de 1 73, pp. 142-143.

«Juanita. Un sueño». ARTURO SABORIT y THOMAS. Año XXII, n.º 29, 2 de agosto de 1872, p. 226.

«Amor y gloria» (arreglo del francés). BLANCA DE GASSÓ Y ORTIZ. Año XXII, n.º 31, 18 de agosto de 1872, pp. 241-243.

«A mi adorada hermana Rosario». MARÍA DE LA CONCEPCIÓN GIMENO. Año XXII, n.º 37, 2 de octubre de 1872, pp. 289-290.

«Lo que son las madres». ANGELA GRASSI. Año XXII, n.º 39, 18 de octubre de 1872, pp. 305-306.

«La belleza y la gracia». M. DEL PILAR SINUÉS DE MARCO. Año XXIII, 26 de mayo de 1873, p. 153.

El Cupido.

«El amor y la amistad» (poema). A. SIERRA Y L. Año I, n.º 4, 18 de junio de 1848, p. 7.

El Educador.

«Educación», por T. y A. N.º 19, 20 de agosto de 1842, p. 2.

Ellas.

«Cuatro palabras». Año I, n.º 1, 1 de septiembre de 1851, p. 1.

«Artículos filosóficos sobre la mujer». F. M. LÓPEZ. Año I, n.º 2, 15 de septiembre de 1851, p. 9.

«Defectos de la educación de la mujer». E. DE T. Año I, n.º 7, 8 de noviembre de 1851, pp. 49-50.

La Epoca.

«Trabajo para la mujer». Anón. Año XXXV, n.º 11.148, 24 de julio de 1883, p. 5.

Sin título. M. DEL PILAR SINUÉS DE MARCO. Año XXXV, n.º 11.194, 10 de septiembre de 1883, pp. 5-6.

«Folk-lore. A las madres de familia». ANTONIO MACHADO Y ALVAREZ. Año XXXV, n.º 11.277, 3 de diciembre de 1883, pp. 5-6.

La España Moderna.

«La cuestión académica». A. GERTRUDIS G. DE AVELLANEDA, DE DA. E. P. BAZAN. Carta I, febrero de 1889, pp. 173-178. Carta II, febrero de 1889, pp. 178-184.

«Seducción» (cuento). A. PALACIO VALDÉS. Año I, n.º 12, junio de 1889, pp. 5-17.

«La mujer española». EMILIA PARDO BAZÁN. 4 partes: I. Año II, n.º 17, mayo de 1890, pp. 101-113; II. Año II, n.º 18, junio de 1890, pp. 5-15; III. Año II, n.º 19, julio de 1890, pp. 121-131; IV. Año II, n.º 20, agosto de 1890, pp. 143-154.

«Fragmento de una carta de mujer» (cuento). ALFONSO DAUDET. Año III, n.º 25, enero de 1891, pp. 200-205.

«Disonancia y armonías de la moral y de la estética». JUAN VALERA. Parte a: año III, n.º 27, marzo de 1891, pp. 95-108; y parte b: año III, n.º 28, abril de 1891, pp. 124-135.

«Adúltera» (Poema). MIGUEL PLÁCIDO PEÑA. Año III, n.º 29, mayo de 1891, pp. 34-38.

«Buen tiempo fijo» (cuento). RICARDO BECERRA DE BENGOA. I. Año III, n.º 31, julio de 1891, pp. 5-20; II. Año III, n.º 31, agosto de 1891, pp. 15-31.

«El coche» (novela corta). ANTONIO DE VALBUENA. Año III, n.º 32, agosto de 1891, pp. 48-61.

La Esperanza.

«A las neo-católicas españolas». VALENTÍN DE NOVOA. Año XXV, n.º 7413, 12 de diciembre de 1868, p. 1.

«Las exposiciones de las señoras». Año XXV, n.º 7414, 14 de diciembre de 1868, p. 1.

El Espósito.

«Angel» (cuento). M. DÍEZ F. DE CÓRDOBA. En 4 partes: I. Año I, n.º 1, 10 de mayo de 1845, pp. 1-4; II. Año I, n.º 2, 20 de mayo de 1845, pp. 9-10; III. Año I, n.º 3, 30 de mayo de 1845, pp. 17-19; IV. Año I, n.º 4, 10 de junio de 1845.

«Tu amor es mi vida». M. DÍEZ F. DE CÓRDOBA. Año I, n.º 2, 20 de mayo de 1845, pp. 13-14.

«Fragmento». M. DÍEZ F. DE CÓRDOBA. Año I, n.º 4, 10 de junio de 1845, pp. 30-31.

La Guirnalda.

«Consejos». J. MORÁN. I, n.º 1, 1 de enero de 1867, pp. 1-2.

«La madre de Dios». V. OLIVARES BIEC. I, n.º 1, 1 de enero de 1867, pp. 2-3.

«Verdadera misión de la mujer». J. M. YEVES. I, n.º 2, 16 de enero de 1867, pp. 9-10.

«Labores femeninas». I, n.º 4, 16 de febrero de 1867, pp. 25-26.

«A nuestras lectoras». J. MORÁN. I, n.º 5, 1 de marzo de 1867, pp. 33-34.

«Historia ejemplar». I, n.º 11, 1 de junio de 1867, pp. 81-82.

«Cuidados domésticos». I, n.º 17, 2 de septiembre de 1867, pp. 1-2.

«La mujer». Juan Ramón Sáinz. I, n.º 18, 16 de septiembre de 1867, pp. 137-138.

«La careta». JOSÉ MARÍA YEVES. II, n.º 28, 17 de febrero de 1868, pp. 25-26.

«La amistad». II, n.º 36, 16 de junio de 1868, pp. 89-90.

«La mujer sin dedal». II, n.º 39, 1 de agosto de 1868, p. 115.

«Miscelánea: receta para que una esposa consiga labrar la felicidad del marido». II, n.º 40, 16 de agosto de 1868, pp. 126-127.

«La virtud y el vicio - consejo de padre a hija». II, n.º 42, 16 de septiembre de 1868, p. 140.

«Ernesto y María» (cuento infantil). IV, n.º 87, 1 de agosto de 1870, pp. 115-116.

«A mi madre: en su ausencia». J. MORÁN. IV, n.º 93, 1 de noviembre de 1870, p. 163.

«La obediencia» (cuento infantil). IV, n.º 94, 15 de noviembre de 1870, p. 174.

«La madre»-I. V. OLIBARES BILC. V, n.º 97, 1 de enero de 1871, p. 197.

«La madre: una plegaria»-II. V. OLIBARES BILC. V, n.º 98, 16 de enero de 1871, p. 210.

«La mujer» (poema). JOSÉ F. SANMARTÍN Y AGUIRRE. V, n.º 99, 1 de febrero de 1871, p. 210.

«La niña profesora» (cuento). VI, n.º 126, 16 de marzo de 1872, p. 45.

«Moral». VI, n.º 135, 1 de agosto de 1872, p. 120.

«El casamiento por interés». VI, n.º 136, 16 de agosto de 1872, pp. 105-106.

«Educación de la mujer». C. VII, n.º 167, 1 de diciembre de 1873, pp. 169-170.

«Las armas de la mujer». MARÍA DEL PILAR SINUÉS DE MARCO. VII, n.º 168, 16 de diciembre de 1873, pp. 181-183.

«Capítulos sueltos por Carlos Villa-María. Las madres». VII, n.º 4, 16 de febrero de 1874, p. 26.

«La familia y la moda». IX, n.º 20, 16 de octubre de 1875.

«La madre: la familia ». CONDESA DASH-PARÍS. X, n.º 2, 20 de enero de 1876, pp. 11-12.

«La madre». F. DE ALVARO. X, n.º 4, 20 de febrero de 1876, p. 27.

«La madre». F. DE ALVARO. X, n.º 5, 5 de marzo de 1876, p. 34.

«Libro de los deberes: deberes para con los superiores, los inferiores y los criados». MANUEL MARÍA CABALLERO DE RODAS. X, n.º 9, 5 de mayo de 1876, p. 70.

«La costurera». X, n.º 12, 20 de junio de 1876, pp. 91-92.

«Las mujeres (según Cervantes)». X, n.º 24, 20 de diciembre de 1876, p. 187.

«La moda». J. M. SALGADO. XI, n.º 4, 20 de febrero de 1877, pp. 29-30.

«El libro de una madre». MME. PAULINE L., traducción de G. C. XI, n.º 13, 15 de julio de 1877, pp. 99-102.

«El libro de una madre». MME. PAULINE L., traducción de G. C. XI, n.º 22, 20 de noviembre de 1877, p. 172.

«El arte de vestir». MARÍA DEL PILAR SINUÉS DE MARCO. XVI, n.º 24, 20 de diciembre de 1882, p. 120.

«Sensibles y sensibleras». LAURA. XVII, n.º 1, 5 de enero de 1883, pp. 3-6.

«La abuela». XVII, n.º 15, 5 de agosto de 1883, p. 119.

«La mujer y la política». XVII, n.º 16, 20 de agosto de 1883, pp. 124-125.

La Iglesia.

«Carta de Pío IX sobre el lujo de las mujeres». I, 1, 10 de enero de 1869, pp. 6-7.

«La sabiduría de las jóvenes francesas». I, 1, 10 de enero de 1869, p. 13.

La Ilustración de la Mujer. Madrid, 1875.

«El trabajo». SOFÍA TARTILÁN. Capítulo II, año III, n.º 53, 15 de junio de 1875, p. 418.

«Las mujeres pintadas por sí mismas». MATILDE CHERNER. Año III, n.º 53, 15 de junio de 1875, p. 420.

«Educación de las niñas del pueblo». SOFÍA TARTILÁN. Año III, n.º 55, 15 de julio de 1875, pp. 433-435.

«El maestro de escuela y la sociedad». ANTONIO ALVAREZ CARRETERO. Año III, n.º 56, 31 de julio de 1875, pp. 441-442.

«La mujer y la poesía». JOSEFA PUJOL. Año III, n.º 61, 15 de octubre de 1875, pp. 184-185.

«La mujer coqueta». JOSEFA PUJOL. Año III, n.º 66, 30 de diciembre de 1875, p. 225.

«Mi pálida vecina». F. DE LA SIERRA. Año IV, n.º 71, 15 de marzo de 1876, pp. 263-265; año IV, n.º 72, 31 de marzo de 1876, p. 272.

«Una polla de salón». JAVIER TORT Y MORTARELL. Año IV, n.º 75, 15 de mayo de 1876, pp. 296-297.

«Educación popular». SOFÍA TARTILÁN. Año IV, n.º 86, 30 de octubre de 1876, pp. 381-384; año IV, n.º 87, 15 de noviembre de 1876, pp. 389-393.

El Imparcial.

Sin título. MARÍA DEL PILAR SINUÉS DE MARCO. III, n.º 916, 14 de diciembre de 1869.

«Modas». MARÍA DEL PILAR SINUÉS DE MARCO. IV, n.º 1006, 15 de marzo de 1870.

Instrucción para la Mujer.

«La instrucción de la mujer y la educación del hombre». G. DE AZCÁRATE. I, n.º 1, 1 de marzo de 1882, pp. 1-3; I, n.º 2, 16 de marzo de 1882, pp. 18-22.

«La madre». J. M. PONTES. I, n.º 2, 16 de marzo de 1882, pp. 22-23.

«De las conversaciones». EMILIO AGUILERA. I, n.º 3, 1 de abril de 1882, pp. 44-45.

«La flor de la pureza» (poema). JULIO DE EGUILAZ. I, n.º 4, 16 de abril de 1882, pp. 60-61.

«La conciencia» (poema). MANUEL PRIETO Y PRIETO. I, n.º 15, 1 de octubre de 1882, pp. 232-233.

«Pereza». CÉSAR DE EGUILAZ. I, n.º 18, 16 de noviembre de 1882, p. 281.

«Romance» (poema). JULIO DE EGUILAZ. II, n.º 21, 1 de enero de 1883, p. 330.

«Urbanidad y cortesía». EMILIO AGUILERA. II, n.º 21, 1 de enero de 1883, pp. 334-336.

«Uso modesto de la ciencia». M. A. THERY. Traducción por Carmen Rojo y Herraiz. II, n.º 26, 16 de enero de 1883, pp. 337-340.

«Importancia del estudio de la naturaleza en la educación de la mujer». M. ATIENZA Y SIRVENT. II, n.º 22, 16 de enero de 1883, pp. 340-342.

«El matrimonio». DOMINGO FERNÁNDEZ ARREA. II, n.º 24, 16 de febrero de 1883, pp. 369-372.

«La madre». I, n.º 2, 16 de marzo de 1882, p. 22.

«El Congreso Pedagógico». E. BARTOLOMÉ. I, n.º 8, 16 de junio de 1882, p. 120.

La Moda. Cádiz.

«Coloquio entre una mamá del siglo pasado y una hija de éste». L. BUREN. 14, n.º 52, 25 de febrero de 1855, p. 5.

«Tula, mártir del corazón» (cuento). Don FRANCISCO SÁNCHEZ DEL ARCO. 14, n.º 89, 11 de noviembre de 1855, p. 2.

«La mujer: estudios morales. De la importancia de educar y moralizar al pueblo». MARÍA DEL PILAR SINUÉS DE MARCO. 17, n.º 9, 31 de enero de 1858, p. 116.

«La mujer: estudios morales». MARÍA DEL PILAR SINUÉS DE MARCO. 17, n.º 14, 17 de marzo de 1858, pp. 181-185.

La Mujer.

«La mujer política». FAUSTINA SÁEZ DE MELGAR. I, n.º 1, 8 de junio de 1871, pp. 3-4.

«Educar a las mujeres para madres es regenerar la sociedad». VICENTE FUENMAYOR. I, n.º 4, 30 de junio de 1871, p. 3.

Sin título. RAMÓN GARCÍA SÁNCHEZ. I, n.º 6, 16 de julio de 1871, p. 7.

Museo de la Familia.

«Estudios recreativos: un suicidio», por M. Tomo II, 25 de agosto de 1844, pp. 194-196.

«Estudios morales: ¡Pobre Lucía!». L. DE JUAN. Tomo II, 25 de septiembre de 1844, pp. 212-215.

«Pobreza no es vileza» (cuento). Tomo II, 25 de octubre de 1844, pp. 232-236.

«La sonámbula» (cuento). F. DE P. MELLADO. Tomo III, 25 de enero de 1845, pp. 1-3.

«Catalina Cornaro» (novela histórica). Tomo III, 25 de febrero de 1845, pp. 36-48.

«Estudios morales: sobre la influencia de las mujeres en nuestras sociedades modernas». RUPERTO GARCÍA CANAS. I, tomo III, 25 de marzo de 1845, pp. 72-74.

«La moda en sus relaciones con la política». J. Q. Tomo III, 25 de octubre de 1845, pp. 233-236.

«Estudios morales: la moda». J. Q. Tomo II, 25 de diciembre de 1844, pp. 288-291.

«Estudios morales: cuadro de Cebes». Tomo II, 25 de noviembre de 1844, pp. 257-261.

«Margarita» (cuento). Tomo II, 25 de octubre de 1845, pp. 236-243.

«Estudios morales. El ramo de flores». ENRIQUE BERTHOUD. Tomo III, 25 de noviembre de 1845, pp. 252-256.

«El amor de una mujer», por M. 25 de diciembre de 1846, pp. 185-287.

«El último Roade». BENITO VICETTO. Año XVII, 1859, p. 221.

«La caridad». Año XVIII, 1860, p. 50.

El Museo Universal.

«Los cabellos de Luisa» (leyenda). JOSÉ J. SOLER DE LA FUENTE. IV, n.º 27, 1 de julio de 1860, pp. 215-216; IV, n.º 28, 8 de julio de 1860, pp. 222-223; IV, n.º 29, 15 de julio de 1860, pp. 231-232; IV, n.º 30, 22 de julio de 1860, pp. 239-240.

«Amor de monja» (cuento). MANUEL FERNÁNDEZ Y GONZÁLEZ. IV, n.º 6, 5 de febrero de 1860, pp. 42-43; IV, n.º 7, 12 de febrero de 1860, pp. 59-60; IV, n.º 10, 4 de marzo de 1860, pp. 75-76; IV, n.º 11, 11 de marzo de 1860, pp. 83-85; IV, n.º 23, 3 de junio de 1860, pp. 178-179.

«Un historia... como hay muchas». M. OSSORIO Y BERNARD. IV, n.º 33, 12 de agosto de 1860, pp. 262-264.

«Cuadros contemporáneos: la mujer soltera». JUAN ANTONIO ALMELA. IX, n.º 6, 5 de febrero de 1865, p. 47.

«Cuadros contemporáneos: la solterona». JUAN ANTONIO ALMELA. IX, n.º 17, 23 de abril de 1865, pp. 134-135.

«La Junta de Damas de Honor y Mérito, o la rifa en beneficio de la Inclusa». J. DE LA R. Y DELGADO. IX, n.º 18, 30 de abril de 1865, pp. 139-140.

«Cuadros contemporáneos: otra vez las solteras». JUAN ANTONIO ALMELA. X, n.º 2, 14 de enero de 1866, pp. 11-13.

«La mujer». FERMÍN GONZALO MORÓN. X, n.º 25, 24 de junio de 1866, p. 198.

«La moralidad en España». J. JIMENO AGIUS. X, n.º 31, 5 de agosto de 1866, pp. 242-243.

«El amor». JOSÉ LLANO Y ALVAREZ. X, n.º 35, 2 de septiembre de 1866, p. 275.

El Pensamiento Español.

«La piedad». I, n.º 30, 3 de febrero de 1860, p. 31.

«Conferencias del padre Félix de la Compañía de Jesús en la Catedral de París». La conferencia: I, n.º 57, 7 de marzo de 1860, pp. 3-4; 2.ª conferencia: I, n.º 64, 15 de marzo de 1860, pp. 3-4; 3.ª conferencia: I, n.º 70, 22 de marzo de 1860, pp. 3-4; 4.ª conferencia: I, n.º 75, 28 de marzo de 1860, pp. 3-4; 5.ª conferencia: I, n.º 80, 3 de abril de 1860, pp. 3-4; 6.ª conferencia: I, n.º 87, 12 de abril de 1860, pp. 3-4.

El Periódico de las Damas. Madrid, 1822.

«Discurso preliminar». N.º 1, pp. 1-11.

«Sobre el influjo de las mujeres en la sociedad». Art. 1.º, n.º 5, 1822, pp. 1-15.

«Sobre el deseo de agradar y parecer bien de las mujeres». Art. 1.º, n.º 3, pp. 1-13.

«Sobre las modas en la parte política y moral». Art. 1.º, n.º 2, pp. 1-18.

«Lecho matrimonial». N.º 8, pp. 2-14.

«Reflexiones sobre la educación del bello sexo». N.º 20, mayo de 1822, pp. 16-24.

«Cuento, aunque no del cuento, para cuando venga el cuento» (poesía). L. A. y A. XI, 1822, pp. 27-29.

El Periódico para Todos.

«Tres en uno» (cuento). TORCUATO TARRAGO. I, n.º 26, 1872, pp. 410-411.

«Una pasión a los 20 años». EL MARQUÉS DE SAN ELOY. I, n.º 26, 1872, pp. 404-405.

«Blanca». TORCUATO TARRAGO. I, n.º 22, 1872, pp. 340-341.

«Claudio y Genoveva» (cuento). VICENTE GREGORIO ASPA. I, n.º 21, 1872, pp. 327-329.

«Nuevo arte de amar». I, n.º 9, 1872, p. 132.

«La luna de miel y la luna de hiel» (cuento). RAMÓN ORTEGA Y FRÍAS. I, n.º 8, 1987, pp. 120-121.

«La sed de oro». J. PASCUAL Y CAMP DE PADROS. I, n.º 6, 1872, p. 92.

Razón y Fe.

«El feminismo sin Dios». JULIO ALARCÓN Y MELÉNDEZ. Madrid. Año I, tomo III, agosto de 1902, pp. 456-474.

Revista Católica.

«Reseña histórica. España». A. P. Tomo I, julio de 1842, pp. 113-146; tomo II, n.º 7, enero de 1843, pp. 5-62; tomo II, n.º 7, enero de 1843, p. 48; tomo III, n.º 8, julio de 1843, pp. 1-69; tomo IV, n.º 19, enero de 1844, pp. 5-55.

Revista de España.

«El hombre sin mujer» (cuento considerativo). MIGUEL DE LOS SANTOS ALVAREZ. I, n.º 17, 1868, pp. 56-97; II. I, n.º 18, 1868, pp. 196-213.

«Amor entre hielo y fuego» (novela). EDUARDO DE MEIER. II, n.º 8, 1868, pp. 565-213.

«La mujer del ciego, ¿para qué se afeita?» (cuento). JOSÉ MARÍA DE PEREDA. II, n.º 34, 1868, pp. 195-204.

«El buen pastor» (cuento). MANUEL PRIETO Y PRIETO. III, n.º 40, 1870, pp. 538-556.

«El día de Santiago» (novela). DON FERNANDO FULGOSIO. III, n.º 46, 1870, pp. 269-291; III, n.º 47, 1870, pp. 396-416; III, n.º 48, 1870, pp. 572-592; III, n.º 49, 1870, pp. 114-119.

«Noticias literarias. Observaciones sobre la novela contemporánea en España». B. P. GALDÓS. III, n.º 57, 1870, pp. 162-172.

«La mujer del César». J. M. DE PEREDA. III, n.º 65, 1870, pp. 18-39.

«Justicia de Dios» (cuento). ENRIQUE RODRÍGUEZ-SOLÍS. IV, n.º 84, 1871, pp. 467-479.

«El arte casero» (novela). PEREGRÍN GARCÍA CADENA. V, n.º 101, 1872, pp. 113-126; V, n.º 102, 1872, pp. 265-291; V, n.º 103, 1872, pp. 437-455; V, n.º 104, 1872, pp. 589-603; V, n.º 105, 1872, pp. 107-122; V, n.º 107, 1872, pp. 385-406.

«El último sueño» (cuento). DON JOSÉ PRIETO Y PRIETO. V, n.º 108, 1872, pp. 536-554.

«La mujer bajo el aspecto económico». MELCHOR SALVÁ. V, n.º 94, 1872, pp. 161-176; V, n.º 101, 1872, pp. 127-135; V, n.º 106, 1872, pp. 237-263; V, n.º 109, 1872, pp. 71-80.

«El café» (fantasía moral). CARLOS COELLO. V, n.º 112, 1872, pp. 534-547.

«Berta» (novela), la C. de XXX. VI, n.º 118, 1873, pp. 226-246; VI, n.º 119, 1873, pp. 361-384; VI, n.º 120, 1873, pp. 532-545; VI, n.º 121, 1873, pp. 102-114; VI, n.º 122, 1873, pp. 236-260; VI, n.º 123, 1873, pp. 387-401; VI, n.º 124, 1873, pp. 500-513; VI, n.º 126, 1873, pp. 237-257; VI, n.º 127, 1873, pp. 385-398; VI, n.º 128, 1873, pp. 510-520; VI, n.º 129, 1873, pp. 97-109; VI, n.º 130, 1873, pp. 256-260; VI, n.º 131, 1873, pp. 369-383; VI, n.º 132, 1873, pp. 537-548; VI, n.º 133, 1873, pp. 98-118; VI, n.º 134, 1873, pp. 226-248; VI, n.º 139, 1873, pp. 383-402; VI, n.º 140, 1873, pp. 537-556; V, n.º 141, 1874, pp. 100-123; V, n.º 142, 1874, pp. 236-255.

«El matrimonio». DON JOAQUÍN SÁNCHEZ DE TOCA. VI, n.º 129, 1873, pp. 66-96; VI, n.º 130, 1873, pp. 195-213; VI, n.º 131, 1873, pp. 470-496; VI, n.º 133, 1873, pp. 53-71; VI, n.º 134, 1873, pp. 173-190; VI, n.º 135, 1873, pp. 346-363.

«Peña sin culpa» (drama en 3 actos). LUIS VIDART. I. VII, n.º 145, 1874, pp. 101-114; II. VII, n.º 146, 1874, pp. 251-263.

«El otro mundo» (cuento fantástico). CARLOS COELLO. I. VII, n.º 152, 1874, pp. 544-555; II. VII, n.º 153, 1874, pp. 85-109.

«El testamento de un filósofo». DA. PATROCINIO DE BIEDMA. VII, n.º 154, 1874, pp. 225-250; VII, n.º 155, 1874, pp. 385-414; VII, n.º 156, 1874, pp. 521-557; VII, n.º 157, 1874, pp. 115-128; VII, n.º 158, 1874, pp. 257-273.

«Cartas morales y semipolíticas». NICODEMES MARTÍN MATEOS. VII, n.º 163, 1874, pp. 341-353; VII, n.º 166, 1875, pp. 185-196; VII, n.º 171, 1875, pp. 352-365; VII, n.º 184, 1875, pp. 475-484.

«Cuentos trascendentales: El destino». JAIME PORCAR. VIII, n.º 176, 1875, pp. 543-556.

«Sistema preventivo» (novela). RAMÓN RODRÍGUEZ CORREA. VII, n.º 178, 1875, pp. 250-267; VIII, n.º 179, 1875.

«Historia de un deseo». S. LÓPEZ GUIJARRO. I. IX-199-1876, pp. 389-401; II. IX-200-1876, pp. 541-555; III. IX-201-1876, pp. 95-109.

«Una cuestión de actualidad». URBANO GONZÁLEZ SERRANO. Tomo 29, n.º 113, 1872, pp. 84-98; tomo 29, n.º 115, 1872, pp. 341-357; tomo 30, n.º 118, 1873, pp. 191-211.

Semanario de las Familias.

«La mujer». RAFAEL ABELLÁN Y ANTA. (Poema dedicado a la ilustrísima señora doña Clotilde Ledesma de Prieto). 15 de julio de 1883, pp. 239-240.

«Semilla del bien». II, 32, 6 de agosto de 1883, p. 254.

«A una pecadora». E. DE LA PEÑA. II, 42, 15 de octubre de 1883, pp. 369-370.

«La mujer, ¿es moral e intelectualmente inferior al hombre?». ERNESTO DE LA GUARDIA. I, 5, 30 de enero de 1882, pp. 71-72.

«Un suicidio» (cuento). R. HERNÁNDEZ Y BERMÚDEZ. II, 17, 23 de abril de 1883, pp. 134-136.

Semanario Pintoresco Español.

«Doña Ana Urrutia de Urmeneta» (pintora). N.º 4, 24 de enero de 1852, pp. 29-30.

«Miseria y virtud» (cuento). LUIS MIGUEL Y ROCA. N.º 13, 30 de marzo de 1851, pp. 103-104; n.º 14, 6 de abril de 1851, pp. 108-110.

«La mujer de su casa» (cuento). FERNANDO MARTÍNEZ PEDROSA. I, 17, 3 de julio de 1862, pp. 132-134; I, 18, 10 de julio de 1862, pp. 139-140; I, 19, 17 de julio de 1862, pp. 154-155.

«El amor es la vida». JUAN DE LA CRUZ ROVIRA. III, 6, 7 de abril de 1864, p. 47.

«El progreso de la familia». III, 12, 19 de mayo de 1864, p. 90.

«La mujer y las ciencias». ROBERTO. III, n.º 24, 11 de agosto de 1864, pp. 191-192.

«La rosa entre zarzas» (novela). AURELIANO RUIZ. III, n.º 33, 13 de octubre de 1864, pp. 258-259.

«El bien y la virtud. Páginas de mi diario». AURELIANO RUIZ. III, n.º 33, 13 de octubre de 1864, pp. 261-262.

«Consejos de una madre a su hija» (poema). ANGELA GRASSI. III, n.º 37, 10 de noviembre de 1864, p. 291.

«La flor». CARLOS SÁNCHEZ PALACIO. III, n.º 41, 8 de diciembre de 1864, p. 328.

«La mujer y la flor» (poema). AURELIANO RUIZ. III, n.º 41, 8 de diciembre de 1864, p. 327.

«Herminia» (cuento). F. ROVIRA AGUILAR. III, n.º 43, 22 de diciembre de 1864, p. 339.

«El amor». JUAN J. MEDINA Y GUERRERO. III, n.º 43, 22 de diciembre de 1864, pp. 339-341.

«La mujer». AGUSTO JÉREZ PERCHET. III, n.º 50, 9 de febrero de 1865, pp. 398-399.

«Amor de madre». FERNANDO SELLARES. III, n.º 51, 16 de febrero de 1865, p. 403.

El Tocador.

Sin título. A. RIBOT Y FONSETRE. Tomo I, n.º 14, 3 de octubre de 1844, pp. 211-212.

«Estudios morales. La coqueta» (poema). ANTONIO PIRALA. Tomo I, n.º 26, 26 de diciembre de 1844, pp. 405-408.

El Vergel de Andalucía.

«La finura del trato». LA ADALIA. Tomo I, n.º 5, 16 de noviembre de 1845, pp. 35-37.

«Julia» (novela original). ADELA GARCÍA. Tomo I, n.º 8, 7 de diciembre de 1845, p. 64.

«La mujer erudita». Tomo I, n.º 9, 11 de diciembre de 1845, pp. 70-71.

«El día más feliz de la vida». LA ADALIA. Tomo I, n.º 10, 21 de diciembre de 1845, pp. 75-77.

Dentro de la clasificación de «fuentes primarias» se han incluido las siguientes obras publicadas en la misma época que las anteriores.

ALONSO Y RUBIO, FRANCISCO: *La mujer bajo el punto de vista filosófico, social y moral:* sus deberes en relación con la familia y la sociedad. Madrid, D. F. Gamayo, 1863.

ARENAL, CONCEPCIÓN: *La mujer de su casa.* Madrid, Gras y Cía., 1883.

CASTILLO, RAFAEL DEL: *La mujer-amor.* Barcelona, Molinos Hermanos, editores, 1881.

CATALINA, SEVERO: *La mujer: apuntes para un libro.* Prólogo de Ramón de Campoamor. Madrid, Imprenta de Luis García, 1858.

COLOMA, S. I. Y P. LUIS: *Pequeñeces*. 4.ª edición. Madrid, Editorial «Razón y Fe», 1950.

CRUZ, RAMÓN DE LA: *Sainetes*. Tomos I y II. Nueva Biblioteca de Autores Españoles, 1915.

Los españoles pintados por sí mismos. Madrid, Editorial Libra, S. A., 1971.

Obra colectiva de varios novelistas, periodistas y profesionales, publicada en 1843 por el editor Boix en Madrid. Segunda impresión por Gaspar y Roig.

FLORES, ANTONIO: *Ayer, hoy y mañana* o la fe, el vapor y la electricidad. Barcelona, Montaner y Simón, 1892.

— *Fe, esperanza y caridad*. Madrid, Imprenta de los señores Martínez y Minuesa, 1851.

— *La sociedad de 1850*. Madrid, Alianza Editorial, 1968.

— *Tipos y costumbres españolas*. Sevilla, Francisco Alvarez y Cía., 1877.

FRONTAURA, CARLOS: *Romances populares*. Madrid, Imprenta de don Carlos Frontaura, 1867.

GÓMEZ DE AVELLANEDA, GERTRUDIS: «La mujer». Pp. 286-306 en *Novelas y leyendas*, tomo V. Madrid, Imprenta de M. Rivadeneira, 1871.

LEÓN, FRAY LUIS DE: *La perfecta casada*. Madrid, Biblioteca Edaf, 1970.

MESONERO Y ROMANOS, RAMÓN DE: *Escenas matritenses*. Tomo CXCIX. Biblioteca de Autores Españoles, 1967.

Originalmente publicada en la *Revista Española* y en *Cartas Españolas*, en el año 1834, con el pseudónimo «El Curioso Parlante».

Las mujeres españolas, americanas y lusitanas pintadas por sí mismas. Barcelona, Editorial de Juan Pons, 1881.

Mujeres españolas del siglo XIX. Madrid, Ediciones Atlas, 1944.

Roberto Robert coleccionó estos artículos bajo el título de *Las españolas pintadas por los españoles*. 2 tomos. Madrid, 1871-1872.

Las mujeres españolas, portuguesas y americanas. Prólogo de don Antonio Cánovas del Castillo. Madrid, Imprenta y librería de Miguel Guijarro, editor, 1872.

NELKEN, MARGARITA: *La condición social de la mujer en España.* Madrid, CVS Ediciones, 1975.

Esta obra fue escrita en Barcelona a principios del siglo XX.

Novísimo romancero español. 3 vols. Madrid, editor de la Biblioteca Enciclopédica Popular Ilustrada, 1878.

PÉREZ GALDÓS, BENITO: *Obras Completas.* Tomo IV. Madrid, M. Aguilar, 1941. *(La desheredada, El amigo Manso, Tormento, La de Bringas, Lo Prohibido).*

QUIÑONES, UBALDO R.: *La educación moral de la mujer.* Madrid, Alvarez Hermanos, 1877.

FUENTES SECUNDARIAS

ACOSTA MONTORO, JOSÉ: *Periodismo y literatura.* 2 vols. Madrid, Ediciones Guadarrama, 1973.

ALTAMIRA, RAFAEL: «Las mujeres en las novelas de Pérez Galdós». *Atenea.* Año XX, LXII, CCXV. Santiago de Chile, 1943, pp. 145-169.

AMORÓS, ANDRÉS: *Sociología de una novela rosa.* Madrid, Cuadernos Taurus, 1968.

ARANGUREN, JOSÉ LUIS L.: «Erotismo y moral de la juventud», *Erotismo y liberación de la mujer.* Barcelona, Ediciones Ariel, 1973.

— *Moral y sociedad.* (Moral social española en el s. XIX). 3.ª edición. Madrid, Cuadernos para el Diálogo, 1965.

ARTOLA, MIGUEL: *La burguesía revolucionaria* (1808-1874). De la serie «Historia de España Alfaguara V». 2.ª edición. Madrid, Alianza Editorial, S. A., 1974.

AUBERT, J. M., Y. PELLE-DOUEL Y J. DELAPORTE: *La Iglesia, la promoción de la mujer.* (De la versión francesa: L Eglise et la Promotion de la Femme). Bilbao, Ed. Mensajero, 1970.

BERKOWITZ, H. CHONON: *The Youthful Writings of Pérez Galdós*. Reimpreso del vol. I, n.º 2, april, 1933, de *Hispanic Review*.

— *Pérez Galdós, Spanish Liberal Crusader*. Madison: The University of Wisconsin Press, 1948.

BLANCO-AGUINAGA, CARLOS: *Juventud del 98*. Madrid, Siglo Veintiuno de España, 1970.

— «On "The Birth of Fortunata"». *Anales Galdosianos*. Pittsburgh, Pennsylvania, The University of Pittsburgh, 1968.

BLEIBERG, GERMÁN: *Diccionario de literatura española*. 4.ª edición. Madrid, Revista de Occidente, S. A., 1972.

BOLLNOW, OTTO F.: *Esencia y cambios de las virtudes*. Traducción de Lucío García Ortega. Madrid, Revista de Occidente, 1960.

BOTREL, J. F. Y S. SALAÜN: *Creación y público en la literatura española*. Madrid, Ed. Castalia, 1974.

BRAVO-VILLASANTE, CARMEN: *Vida y obra de Emilia Pardo Bazán*. Madrid, Novelas y Cuentos, 1973.

BROWN, REGINALD F.: *La novela española. 1700-1850*. Madrid, Bibliografías de archivos y bibliotecas. Dirección General de Archivos y Bibliotecas-Servicio de Publicaciones del Ministerio de Educación Nacional, 1953.

Catálogo de las publicaciones periódicas madrileñas existentes en la Hemeroteca Nacional de Madrid: 1661-1930. Madrid, Artes Gráficas Municipales, 1933.

CAMPO ALANGE, CONDESA DE: *La mujer en España: cien años de su historia (1860-1960)*. Madrid, Aguilar, S. A. de Ediciones, 1964.

CARR, RAYMOND: *España, 1808-1939*. Barcelona, Ediciones Ariel, 1968; originalmente publicado por Oxford University Press, 1966.

CASALDUERO, JOAQUÍN: *Vida y obra de Galdós*. Madrid, Gredos, 1951.

COMELLAS, JOSÉ LUIS: *Historia de España moderna y contemporánea*. Madrid, Ediciones Rialp, S. A., 1971.

CORREA, GUSTAVO: *Realidad, ficción y símbolo en las novelas de Pérez Galdós*. Bogotá, Publicaciones del Instituto Caro y Cuervo, 1967.

CORREA, E. CALDERÓN: *Costumbristas españoles*. Tomo I. Madrid, Aguilar, S. A., 1950.

DÍAZ, ELÍAS: *La filosofía social del krausismo español*. Madrid, Cuadernos para el Diálogo, 1973.

DURAND, FRANK: «'Two Problems in Galdós' *Tormento*», *Modern Language Notes*. 79 (1964), 513-525.

ELORZA, ANTONIO: «Feminismo y socialismo en España» (1840-1868). *Tiempo de Historia*. I, n.º 3, febrero de 1975, 46-63.

ENGELS, FEDERICO: *El origen de la familia*. La propiedad privada y el estado. Madrid, Editorial fundamentos, 1970.

FALCÓN, LIDA: *Mujer y sociedad*. Análisis de un fenómeno reaccionario. 2.ª edición. Barcelona, Editorial Fontanella, 1973.

FAUS SEVILLA, PILAR: *La sociedad española del siglo XIX en la obra de Pérez Galdós*. Valencia, Imprenta Nacher, 1972.

FERNANDO, IBARRA: «Clarín y Azorín: el matrimonio y el papel de la mujer española», *Hispania*. 55 (march 1972), 1, 45-54.

FERRERAS, JUAN IGNACIO: *Introducción a una sociología de la novela española del s. XIX*. Madrid, Cuadernos para el Diálogo, 1973.

— *La novela por entregas: 1840-1900*. Madrid, Taurus Ediciones, S. A., 1972.

— *Los orígenes de la novela decimonónica 1800-1830*. Madrid, Taurus Ediciones, S. A., 1973.

— *Teoría y Praxis de la novela*. París, Ediciones Hispanoamericanas, 1970.

FRYE, NORTHROP: *Anatomy of Criticism*. Princeton, Princeton University Press, 1971.

GALINDO, MIGUEL: *Breves notas sobre el periodismo y el folletín en la prensa castellonense del XIX*. Boletín de la Sociedad Castellonense de Cultura. Tomo XLVI, n.º 11 (1970), 173-197.

GARCÍA, SALVADOR: *Las Ideas literarias en España entre 1840 y 1850*. Berkeley, University of California Press, 1971.

GILMAN, STEPHEN: «The Birth of Fortunata». *Anales Galdosianos*. Pittsburgh, Pennsylvania, University of Pittsburgh, 1966, pp. 71-83.

Giner visto por Galdós, Unamuno, A. Machado, J. Ramón Jiménez, Alfonso Reyes, etc. Selección y notas de R. L. México, Instituto Luis Vives, 1969.

GOLDMAN, PETER: «Toward a Sociology of the Modern Spanish Novel: the early years». 2 artículos: parte I. *Modern Language Notes*, 89 (march 1974), 2, 173-190; parte II. *Modern Language Notes*, 90 (march 1975), 2, 183-211.

GÓMEZ APARICIO, PEDRO: *Historia del periodismo español de la Revolución de Septiembre al desastre colonial.* Madrid, Editorial Nacional, 1971.

GÓMEZ MOLLEDA, MARÍA DOLORES: *Los reformadores de la España contemporánea.* Madrid, Escuela de Historia Moderna, 1966.

GONZÁLEZ BLANCO, ANDRÉS: *Historia de la novela en España desde el Romanticismo a nuestros días.* Madrid, Sáenz de Jubera, Hermanos, 1909.

GULLÓN, GERMÁN: «Tres narradores en busca de un lector», *Anales galdosianos.* Año V (1970), 75-80.

HAFTER, MONROE S.: «'Galdós' presentation of Isidora in *La desheredada*», *Modern Philology.* 60 (agosto 1962), 22-30.

HARTZENBUSCH, EUGENIO: *Apuntes para un catálogo de periódicos madrileños desde el año 1661 al 1870.* Madrid, 1894.

— *Periódicos de Madrid.* Madrid. Imprenta de Aribau y C.ª, 1876.

HENNESSY, C. A. M.: *La república federal de España.* Pi y Margall y el movimiento republicano federal 1868-74. Traducido al español por Luis Escolar Bareno. Ediciones Aguilar, 1967.

HERRERO, JAVIER: *Fernán Caballero: Un nuevo planteamiento.* Madrid, Editorial Gredos, 1963.

— *Los orígenes del pensamiento reaccionario español.* Madrid, Editorial Cuadernos para el Diálogo, 1971.

JOBIT, L'ABBÉ PIERRE: *Les Éducateurs de L'Espagne Contemporaine.* Tomo I: «Les Krausists». París. E. de Boccard, editor, 1936; tomo II: «Lettres inedites de don Julián Sanz del Río». Publicadas por Manuel de la Revilla. París. E. de Boccard, editor, 1936.

LANDA, RUBÉN: *Sobre don Francisco Giner*. México, Cuadernos Americanos, 1966.

LEWIS, C. S.: *La alegoría del amor*-Estudio de la tradición medieval. Buenos Aires, Editorial Universitaria de Buenos Aires, 1969. Título de la obra original *The Allegory of Love*. London, Oxford University Press, 1936. Traducida de la edición 1953 por Delia Sampietro.

LIDA, CLARA E. E IRIS M. ZAVALA: *La Revolución de 1868*. New York, Las Américas Publishing Co., 1970.

LIDA, DENAH: «Sobre el krausismo de Galdós», *Anales Galdosianos*. 1967, pp. 1-27.

LLORENS, VICENTE: «Galdós y la burguesía», *Anales Galdosianos*. 1968, pp. 51-59.

LOWENTHAL, LEO: *Literature, Popular Culture and Society*. New Jersey, Prentice-Hall, Inc., 1961.

MARCO, JOAQUÍN: *Literatura popular en España en los siglos XVIII y XIX*. Madrid, Ed. Taurus, 1977.

MARTÍN, CARMEN GAITE: *Usos amorosos del dieciocho en España*. Madrid, Siglo Veintiuno de España editores, S. A., 1972.

MONTESINOS, JOSÉ F.: *Costumbrismo y novela*. Madrid, Castalia, 1960.

— *Galdós*. Tomos I (1968), II (1969), III (1972). Madrid, Editorial Castalia.

— « Galdós en busca de la novela», *Insula*, XVIII, 202, 1963.

— *Introducción a una historia de la novela española en el siglo XIX*. 3.ª edición. Madrid, Castalia, 1973.

— *Pereda o la novela idilio*. Berkeley, University of California Press, 1961.

MORAL, CARMEN DEL: *La sociedad madrileña fin de siglo y Baroja*. Madrid, Ediciones Turner, 1974.

MORALES, MARÍA LUISA: *Las románticas*. 1.ª edición. Madrid, Editorial Historia Nueva, 1930.

PARK, DOROTHY G. E HILARIO SÁENZ: «'Galdós' Ideas on Education», *Hispania*. XXVIII (1944), 138-147.

PATTISON, WALTER T.: *Benito Pérez Galdós*. Boston, G. K. Hall and Co., 1975.

PEERS, ALLISON: *Historia del movimiento romántico español.* 2 vols. Traducción del inglés: José María Gimeno. Madrid, Editorial Gredos, 1954.

PEYRE, HENRI: *Qué es verdaderamente el Romanticismo.* Madrid, Doncel, 1972. Título original: «Qu est-ce que Romanticisme?». Traductor: Marcial Suárez.

REGALADO GARCÍA, ANTONIO: *Benito Pérez Galdós y la novela histórica española: 1868-1912.* Madrid, Insula, 1966.

RODGERS, EAMONN: «'Galdós', *La desheredada* and Naturalism», *Bulletin of Hispanic Studies.* XLV (1968), 285-298.

— «Realismo y mito en 'El amigo Manso'», *Cuadernos hispanoamericanos.* N.º 250-252 (octubre 1970, enero 1971), 430-444.

RODRÍGUEZ, ALFREDO: *Aspectos de la novela de Galdós.* Almería, Artes Gráficas Almería, 1967.

RODRÍGUEZ-PUÉRTOLAS, J.: *Galdós: Burguesía y Revolución.* Madrid, Ediciones Turner, 1975.

ROMERO TOBAR, LEONARDO: *La novela popular española del siglo XIX.* Madrid, Ariel, 1976.

RUIZ SALVADOR, ANTONIO: «La función del trasfondo histórico en 'La desheredada'», *Anales Galdosianos.* 1966, pp. 53-62.

RUTHERFORD, J.: *Mexican Society during the Revolution:* A literary approach. Oxford, 1971.

SÁIZ, CONCEPCIÓN: *La revolución del 68 y la cultura femenina.* (Un Episodio Nacional que no escribió Pérez Galdós). Madrid, Librería General de Victoriano Suárez, 1929.

SCANLON, GERALDINE M.: «The Feminist Debate in Modern Spain». Tesis presentada para el grado de doctora de la Univ. de Londres (Filosofía), 1973.

SHOEMAKER, WILLIAM H.: *Los artículos de Galdós en «La Nación»* (1865-1866, 1868). Madrid, Ediciones Cultura Hispánica, 1973.

— *Las cartas desconocidas de Galdós en «La Prensa» de Buenos Aires.* Madrid, Ediciones Cultura Hispánica, 1973.

SHULTE, HENRY F.: *The Spanish Press, 1470-1966.* Print, Powers and Politics. Urbana, University of Illinois Press, 1968.

SINNIGEN, JOHN H.: «Individual, Class and Society in 'Fortunata y Jacinta'», *Galdós Studies*, Robert J. Weber, ed. London, Tamesis Books, 1974, pp. 49-68.

STURGIS, C.: «The Romantic Novel of the XIX century in Spain», *Hispania*. XIX (1936), 415-420.

TARÍN-IGLESIAS, JOSÉ: *Periodismo de ayer y de hoy*. Barcelona, Ed. Políglota, 1959.

TOBAR, ROMERO: *La novela popular española del siglo XIX*. Madrid, Ariel, 1976.

TUÑÓN DE LARA, MANUEL: *La España del siglo XIX*. Barcelona, Editorial Laia, 1973.

— *Medio siglo de cultura española* (1885-1936). Madrid, Editorial Tecnos, 1973.

— A. ELORZA Y M. PÉREZ LEDESMA: *Prensa y sociedad en España (1820-1936)*. Madrid, Cuadernos para el Diálogo, 1975.

TURÍN, YVONNE: *La educación y la escuela en España de 1874 a 1902*. Liberalismo y tradición. Traducción del francés: por Josefa Hernández Alfonso. Madrid, Aguilar, 1967.

VICENS VIVES, JAIME: *Aproximación a la historia de España*. 3.ª edición. Barcelona, Editorial Vicens-Vives, 1962.

— *An Economic History of Spain*. Traducción del francés: por M. López-Morillas. Princeton, Princeton University Press, 1969.

— *Historia de España y América*. 2.ª edición, tomo V. Barcelona, Editorial Vicens-Vives, 1971.

VILAR, PIERRE: *Historia de España*. Traducción de Manuel Tuñón de Lara. París, Libraire espagnole, 1963.

VIVES, LUIS: *Instrucción de la mujer cristiana*. Madrid, Signo, 1936.

WALTON, L. B.: *Pérez Galdós and the Spanish Novel of the XIX Century*. New York, E. P. Dutton and Co., 1927.

WARDROPPER, BRUCE W.: «Don Quixote: Story or History?», *Modern Philology*. LXIII (agosto 1965), 1.

ZAMORA, LUCAS Y JORGE CASADO: *Publicaciones periódicas en la Biblioteca Nacional*. Madrid, Catálogo de Archivos y Bibliotecas, 1952.

ZAVALA, IRIS M.: *Ideología y política en la novela española del siglo XIX*. Madrid, Anaya, 1971.

— *Románticos y socialistas*. Prensa española del XIX. Madrid, Ed. Siglo XXI, 1972.

— «Socialismo y literatura: Ayguals de Izco y la novela española». *Revista de Occidente*. VI (1969), 80.